Plan

Le petit guide

MARABOUT des

Plantes médicinales

Publié pour la première fois en 2011 par New Holland Publishers, sous le titre *Concise Herb Guide*.

Traduction de l'anglais Marion Richaud
Édition Fanny Delahaye
Relecture Véronique Dussidour
Maquette Les PAOistes

4136438
ISBN : 978-2-501-09003-2
Dépôt légal : avril 2014
Achevé d'imprimer en janvier 2014 par Leo Paper Group, en Chine.

Sommaire

Introduction

Cet ouvrage présente et décrit 180 plantes parmi les plus communes et indique quelles parties peuvent être utilisées et dans quel but. Le propos est volontairement concis et n'inclut pas d'indications sur la culture, les méthodes de préparation, les techniques culinaires ou les dosages correspondant aux propriétés médicinales de chaque plante. Vous trouverez ce type d'information dans d'autres sources, bien qu'il soit conseillé de toujours consulter un praticien qualifié avant de consommer des herbes dans un but thérapeutique.

Plantes et herbes médicinales

Les herbes dont il est question ici sont des plantes ou des composants des plantes comme les racines, les feuilles, les fleurs ou les fruits, qui sont utilisés pour agrémenter les aliments ou pour leurs propriétés thérapeutiques. Les épices sont en général les parties dures de plantes aromatiques, souvent d'origine tropicale. Les parties dures de nombreuses plantes des régions tempérées fournissent également des produits médicinaux et peuvent être considérées comme des épices, les graines de cumin, par exemple.

Utilisations des plantes

Les herbes furent d'abord employées en cuisine pour des raisons pratiques : prolonger la durée de conservation des viandes et dissimuler la piètre qualité des aliments. Aujourd'hui, de nombreuses herbes sont utilisées pour améliorer le goût des aliments, elles ajoutent des saveurs et peuvent faciliter la digestion. Elles jouent aussi un rôle important comme agent de conservation dans les produits industriels.
Les plantes médicinales étaient autrefois les seuls remèdes disponibles. Il a été démontré que certaines étaient inefficaces, voire dangereuses, tandis que d'autres ont prouvé leur efficacité. Certaines sont toujours en usage.
Les herbes médicinales fournissent des huiles essentielles employées en aromathérapie mais aussi pour parfumer les pots-pourris et divers produits cosmétiques. Elles sont très concentrées et on les utilise en infimes quantités pour faire des massages, des bains aromatiques, des inhalations et des compresses.

Aux premières heures de la phytothérapie, il n'existait pas de division stricte entre les herbes médicinales et culinaires. De nombreuses plantes peuvent être utilisées dans ces deux cas.

Cueillir des herbes dans la nature

Votre jardin reste le meilleur endroit pour cueillir des herbes, mais si vous décidez d'aller en chercher dans la nature, respectez certaines règles :

Utiliser les plantes en toute sécurité

Les traitements à base de plantes ne sont pas sans risque et ne doivent pas être employés à la légère. Il convient de prendre en compte les mises en garde formulées pour de nombreuses espèces de cet ouvrage. Les plantes peuvent être dangereuses lorsqu'elles sont consommées en grande quantité, si des parties toxiques de la plante sont utilisées, si l'on ingère la plante, si la personne traitée souffre d'une maladie qui peut être aggravée par l'usage d'une plante donnée ou si le sujet est allergique à une herbe spécifique. Ce livre décrit les parties de la plante habituellement utilisées ainsi que leur forme. Il ne prescrit aucun dosage puisque la posologie peut dépendre de différents facteurs tels que la maladie traitée, l'âge et l'état de santé de la personne malade. Avant d'entreprendre tout traitement quel qu'il soit, à l'exception des simples remèdes quotidiens comme les toniques, consultez votre médecin traitant ou un praticien qualifié.

Lorsque vous cueillez des plantes dans la nature, gardez toujours en tête que la plante recherchée peut avoir des parents très semblables, potentiellement dangereux, voire vénéneux, avec lesquels il est très facile de la confondre. La famille des carottes (Apiacées) par exemple comprend de nombreuses herbes communes, mais aussi des plantes extrêmement toxiques comme la ciguë. À moins que vous ne connaissiez parfaitement une plante, vérifiez toujours soigneusement son identité et demandez conseil à un expert.

• préservez les plantes en ne prenant que les parties dont vous avez besoin et en laissant les pieds pour leur permettre de continuer à pousser ;
• rappelez-vous qu'il est interdit de cueillir des plantes sans l'autorisation expresse du propriétaire du terrain ainsi que de prélever certaines parties, y compris les graines, d'espèces rares ;
• évitez le bord des grandes routes et les zones où des pesticides et autres produits chimiques ont pu être utilisés ;
• si vous avez le moindre doute d'identification, ne cueillez pas la plante.

Cultiver des plantes médicinales

Vous pouvez les planter à part ou les intégrer dans des plates-bandes au milieu d'autres végétaux. N'utilisez jamais de substances chimiques.
Les plantes méditerranéennes, comme la lavande et le romarin, se plaisent en général dans les emplacements ensoleillés avec un sol léger et bien irrigué. Les espèces forestières préfèrent l'ombre et d'autres herbes, comme le cerfeuil ou la valériane, aiment les endroits semi-ombragés. Dans les régions froides plus septentrionales, les herbes délicates peuvent être cultivées en serres ou placées à l'intérieur en hiver. Certaines espèces décrites dans ce livre, comme les clous de girofle, le piment de la Jamaïque et l'arbre à encens, sont des plantes tropicales et ne peuvent pas être cultivées en extérieur sous nos latitudes bien que certaines espèces parviennent à pousser en serres chauffées ou dans les jardins d'hiver.

Cueillette, séchage et conservation

Si vous utilisez des herbes fraîches, ne cueillez que la quantité nécessaire et utilisez-les immédiatement. Choisissez des pousses jeunes et tendres.
Pour les espèces vivaces, prélevez l'extrémité des pousses principales en les pinçant pour encourager une croissance en buisson des pousses latérales. Autrement, cueillez d'abord les feuilles les plus basses, plus anciennes.
Cueillez les herbes que vous utiliserez plus tard lors d'une journée ensoleillée, une fois que la rosée s'est évaporée mais avant que le soleil ne soit trop fort pour limiter la teneur en huile de la plante. Les plantes aromatiques se cueillent de préférence juste avant la floraison, tandis que les herbes dont on utilise

les extrémités fleuries feuillues s'utilisent plutôt juste après l'ouverture des fleurs. Cueillez les fleurs lorsqu'elles sont bien ouvertes et avant qu'elles ne commencent à faner. Collectez les graines quand elles sont mûres. Déterrez les racines à l'automne lorsqu'elles sont bien charnues.

Faites sécher vos herbes dans un endroit sombre, chaud et aéré, en les étalant en une fine couche sur des clayettes ouvertes ou en les suspendant en bouquets. Il est primordial de les faire sécher rapidement pour éviter qu'elles ne perdent leur saveur et leur couleur.

Les herbes sont prêtes à être stockées lorsqu'elles s'effritent et se cassent avec un bruit sec. Les feuilles peuvent être détachées des tiges si nécessaire. Secouez les têtes sèches pour récupérer les graines. Entreposez les herbes séchées à l'abri de la lumière dans des récipients hermétiques, des bocaux en verre, des boîtes opaques ou des sacs plastique bien fermés, par exemple.

Définitions utiles

AISSELLE Angle entre la feuille et la tige.

CALICE Sépales d'une fleur.

CAPSULE Fruit sec qui s'ouvre à maturité pour libérer les graines.

ÉPERON Prolongement formé par les sépales ou les pétales d'une fleur.

ÉTAMINE Organe mâle d'une fleur.

FEUILLES OPPOSÉES Feuilles l'une face à l'autre sur un nœud.

FEUILLES PALMÉES Avec des lobes ou des folioles partant du même point.

FEUILLES PENNÉES À deux rangées parallèles de lobes ou de folioles.

FEUILLES TRIFOLIÉES À trois folioles.

FLEURON Très petite fleur tubulaire aux lobes égaux, typique des pâquerettes.

HUILE ESSENTIELLE Huile volatile produite par les plantes aromatiques et qui leur donne leur parfum et leur saveur caractéristiques.

LANCÉOLÉ En forme de fer de lance, plus large en dessous du centre.

OMBELLE Inflorescence dans laquelle les ramifications sont toutes de même longueur et insérées en un même point, typique des ombellifères.

PÉRIANTHE Sépales et pétales d'une fleur.

Genévrier

Juniperus communis

Taille et description Petit arbre ou arbuste mesurant jusqu'à 6 mètres de haut. Les feuilles vertes épineuses des arbres femelles sont recouvertes de fausses baies coniques vertes, puis bleu-noir à maturité avec une floraison peu visible la deuxième ou la troisième année.
Distribution Indigène dans la plupart des régions de l'hémisphère Nord tempéré.
Utilisations Les baies sont utilisées pour parfumer les marinades, le gin, les pickles, les sauces et les farces pour le gibier. Elles produisent une huile antiseptique et diurétique employée pour traiter les cystites. Ne pas les consommer pendant la grossesse et n'utiliser l'huile en interne que sous surveillance médicale.

Saule blanc

Salix alba

Taille et description
Arbre gris argenté à branches dressées mesurant jusqu'à 25 mètres de haut. Feuilles étroites, argentées et garnies de poils, elles deviennent ensuite vert terne sur le dessus. Les chatons apparaissent avec les feuilles ; mâles et femelles poussent sur des arbres séparés.
Distribution Présent dans la majeure partie de l'Europe et en Asie centrale et de l'Ouest.
Utilisations L'écorce fraîche et séchée a été pendant longtemps utilisée en cas de rhumes et de douleurs, ainsi que comme analgésique générique. Contient de l'acide salicylique, composant de base de l'aspirine, bien qu'il soit aujourd'hui produit de manière synthétique.

Houblon

Humulus lupulus

Taille et description Plante vivace grimpante à tiges volubiles pouvant mesurer jusqu'à 6 mètres de haut. Grandes feuilles opposées, rêches et découpées en 3 à 5 lobes. Plante dioïque, les mâles présentent des grappes ramifiées de fleurs, les femelles des cônes recouverts d'une poussière résineuse.

Répartition Originaire des zones septentrionales tempérées et souvent cultivé.

Utilisations Surtout célèbre pour son utilisation dans la fabrication de la bière et cultivé à grande échelle pour cette industrie. Seuls les cônes sont utilisés. Les jeunes pousses peuvent être cuites à la vapeur et consommées comme des asperges. Le houblon permettrait de lutter contre les troubles digestifs et hépatiques. On l'utilise aussi pour préparer un sédatif doux.

Myrte des marais

Myrica gale

Taille et description Arbuste à feuilles caduques mesurant jusqu'à 1 mètre. Feuilles ovales et dentées aux extrémités. Des chatons femelles rouges et mâles orange, portés à l'extrémité de pousses rougeâtres luisantes sur des plantes séparées, apparaissent avant les feuilles. Les fruits sont des petites baies cireuses. Elle est aussi appelée piment aquatique, piment royal, romarin du nord, bois-sent-bon.

Répartition Commune localement dans les zones marécageuses et sur les landes en Europe occidentale.

Utilisations En Angleterre dans le Yorkshire, les feuilles servaient à aromatiser la bière avant que l'usage du houblon ne se développe. Les feuilles et les baies peuvent être séchées et utilisées pour parfumer potages et ragoûts.

Ortie

Urtica dioica

Taille et description Plante vivace commune mesurant jusqu'à 1,5 mètre, recouverte de poils urticants. Feuilles ovales, pointues et dentées. Fleurs verdâtres, de petite taille, formant des épis axillaires. Appelée aussi grande ortie, ortie dioïque.
Répartition Pousse dans toutes les régions tempérées de l'hémisphère Nord.
Utilisations Les parties aériennes sont riches en vitamines A et C, en fer et autres minéraux. Les jeunes feuilles peuvent être consommées dans les potages et les salades, ou transformées en gâteau d'ortie ou en bière. Les pieds âgés peuvent être toxiques et ne doivent pas être mangés crus.

Santal blanc

Santalum album

Taille et description Petit arbre à feuilles persistantes d'environ 10 mètres de haut aux branches élancées retombantes et à l'écorce gris-brun lisse. Fleurs en forme de cloche, d'abord jaunâtres, puis violet rougeâtre. Les fruits rouge foncé à noir mesurent environ 10 mm de diamètre. Le santal est une espèce semi-parasite pour les plantes voisines.

Répartition Peut-être originaire d'Indonésie et cultivé dans toute l'Asie tropicale.

Utilisations On extrait de cette plante une huile épaisse à l'odeur caractéristique qui entre dans la composition de parfums et de cosmétiques. Le santal produit des extraits thérapeutiques utilisés pour traiter les bronchites et les cystites.

Oseille

Rumex acetosa

Taille et description Plante vivace mesurant jusqu'à 60 cm. Feuilles en forme de fer de flèche, les lobes de la base se terminent par deux oreillettes. Petites fleurs rougeâtres à 3 larges segments internes qui deviennent rougeâtres et fins dans les fruits. Appelée aussi oseille commune, grande oseille, surette, oseille des prés.

Répartition Répandue dans les régions tempérées de l'hémisphère Nord et cultivée dans les jardins.

Utilisations Herbe traditionnellement utilisée dans les salades, développe un goût métallique lorsqu'on la fait cuire dans une casserole en fer. Les feuilles ont une teneur élevée en vitamine C, l'acide oxalique leur donne un goût acide. On peut en ajouter dans les salades, les soupes et les plats de légumes. La sauce à l'oseille accompagne à merveille les poissons et les œufs.

Chénopode Bon-Henri

Chenopodium bonus-henricus

TAILLE ET DESCRIPTION Plante vivace à tige dressée mesurant jusqu'à 50 cm. Feuilles triangulaires mesurant jusqu'à 10 cm, au bord ondulé. Les jeunes feuilles sont farineuses, puis deviennent verdâtres et plus lisses avec l'âge. Fleurs très petites, verdâtres et portées sur des épis.

RÉPARTITION Plante répandue localement dans toute l'Europe, à l'exception du sud-est.

UTILISATIONS Les jeunes feuilles peuvent être dégustées crues en salade, les feuilles plus âgées cuites dans les potages et ragoûts. Les jeunes pousses se cuisent comme des asperges. Les graines ont un effet laxatif. Plante à éviter lorsque l'on souffre de problèmes rénaux ou de rhumatismes.

Chénopode blanc

Chenopodium album

Taille et description Plante vivace mesurant jusqu'à 1,50 mètre. Tiges rougeâtres généralement recouvertes d'une substance farineuse blanche. Feuilles habituellement ovales, pointues, à bord denté. Fleurs blanchâtres en petites grappes serrées sur un éperon ouvert, portant des feuilles à l'extrémité inférieure.

Répartition Commun dans toute l'Europe.

Utilisations Les feuilles et les pousses jeunes peuvent être consommées comme des épinards ou finement hachées et ajoutées dans les soupes et ragoûts. C'est une bonne source de vitamine B1, de protéine, de fer et de calcium.

Bette maritime

Beta vulgaris subsp. *maritima*

TAILLE ET DESCRIPTION Plante vivace, bisannuelle ou pluriannuelle mesurant jusqu'à 1 mètre de haut, en général buissonnante, mais parfois rampante. Des petites fleurs verdâtres en grappes sur un épi ramifié. Ancêtre sauvage des betteraves cultivées. Appelée aussi betterave maritime ou betterave sauvage.

RÉPARTITION Pousse en bordure des marais salants et le long des chemins côtiers dans l'ouest et le sud de l'Europe, plus rare dans le nord.

UTILISATIONS Se cuisine comme des épinards. Les côtes centrales dures et les grosses nervures doivent être enlevées avant cuisson.

Atriplex portulacoides

Atriplex portulacoides

Taille et description Plante vivace rampante, très ramifiée, mesurant jusqu'à 1 mètre, recouverte d'une substance farineuse argentée. Feuilles opposées, ovales, épaisses et charnues. Petites fleurs en grappes courtes et ramifiées.

Répartition Largement distribuée dans les marais salants et les dunes côtières dans les zones tempérées d'Eurasie et dans certaines régions d'Afrique.

Utilisations Les jeunes feuilles charnues et épaisses sont comestibles et peuvent se consommer crues en salade ou cuites.

Mouron des oiseaux

Stellaria media

Taille et description Plante annuelle rampante mesurant jusqu'à 30 cm de haut. Les tiges rameuses portent des paires de feuilles ovales et pointues. Fleurs à pétales blancs profondément fendus, plus courts que les sépales. Appelée aussi morgeline et mouron blanc.

Répartition Plante à croissance rapide d'origine européenne, mais propagée par l'homme et aujourd'hui présente dans le monde entier.

Utilisations En cuisine, on l'ajoute dans les salades ou on la cuit à l'eau comme un légume. Les feuilles contiennent de la vitamine C. On la prépare en onguent ou en cataplasme pour les inflammations cutanées, les plaies et les engelures.

Œillet giroflé

Dianthus caryophyllus

Taille et description Plante vivace à souche ligneuse, tiges mesurant jusqu'à 50 cm. Feuilles vert bleuâtre étroites, opposées. Pétales roses à marge dentée et ondulée. Fleurs parfumées à l'odeur et à la saveur épicées rappelant le clou de girofle. Appelé aussi œillet commun, œillet des fleuristes, œillet à bouquet.

Répartition Indigène dans le sud de l'Europe et le nord de l'Afrique, l'œillet est cultivé partout ailleurs.

Utilisations Les pétales des fleurs sont utilisés pour parfumer boissons, sirops, vinaigres et salades. Cristallisés, ils décorent les pâtisseries. L'huile est utilisée en parfumerie, les fleurs séchées dans les pots-pourris.

Aconit napel

Aconitum napellus

Taille et description Plante vivace à tige dressée mesurant jusqu'à 1 mètre, à racines pivotantes noirâtres en paires. Les feuilles possèdent des lobes palmés, eux-mêmes très profondément fendus. Fleurs mauves ou bleuâtres de 5 sépales ressemblant à des pétales, le sépale supérieur formant une sorte de capuchon. Appelé aussi casque de Jupiter, aconit pyramidal, capuche, capuchon, char-de-Vénus, madriette.

Répartition Pousse dans toute l'Europe, dans le nord de l'Asie et jusqu'à l'Himalaya à l'est.

Utilisations Toutes les parties de la plante sont toxiques, en particulier les racines dont on utilisait des extraits pour fabriquer des flèches empoisonnées. Employé dans des analgésiques pour traiter la douleur. Cette plante ne doit être prescrite que par un praticien qualifié.

Pavot somnifère

Papaver somniferum

TAILLE ET DESCRIPTION Plante annuelle bleu-vert à tige dressée et mesurant jusqu'à 90 cm. Les feuilles sont découpées en lobes lancéolés. Les fleurs possèdent 4 pétales très fins blancs, roses ou violets, parfois avec une tache noire à la base. Grande capsule globulaire percée sur la bordure pour expulser les minuscules graines.

RÉPARTITION Probablement d'origine méditerranéenne, aujourd'hui répandu, aussi bien cultivé qu'à l'état sauvage. Appelé aussi pavot à opium, pavot blanc, pavot des jardins, pavot officinal, pavot d'Orient.

UTILISATIONS Les graines mûres sont utilisées en cuisine : on en parsème les pains et les gâteaux, elles donnent aussi une huile alimentaire à consommer dans les salades. L'opium cru, obtenu à partir du latex laiteux des capsules avant maturité, contient différentes substances médicinales, de la morphine et de la codéine notamment. Tous les composants de la plante, à l'exception des graines mûres, qui n'ont pas une teneur élevée en opiacés, ne doivent être utilisés que sur les conseils d'un professionnel de santé expérimenté.

Coquelicot

Papaver rhoeas

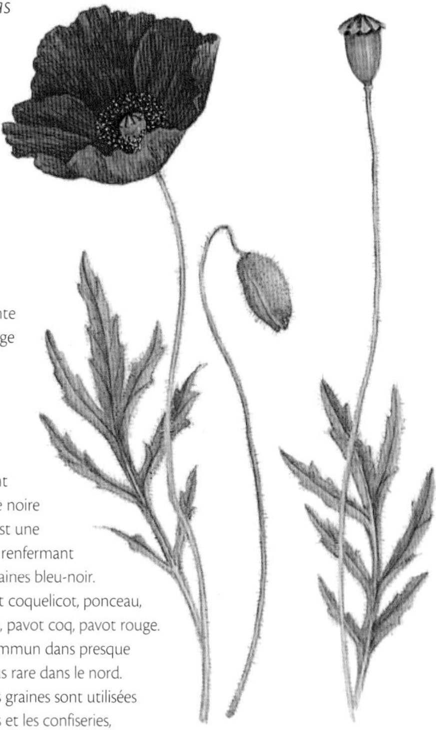

TAILLE ET DESCRIPTION Plante vivace délicate à tige dressée, rameuse, mesurant jusqu'à 70 cm. Feuilles pennées. Fleurs à 4 pétales rouges très fins, présentant souvent une tache noire à la base. Le fruit est une capsule globulaire renfermant de nombreuses graines bleu-noir. Appelé aussi pavot coquelicot, ponceau, pavot des champs, pavot coq, pavot rouge.

RÉPARTITION Commun dans presque toute l'Europe, plus rare dans le nord.

UTILISATIONS Les graines sont utilisées dans les pâtisseries et les confiseries, on en parsème les gâteaux, le pain et les biscuits, on les transforme aussi en une huile de qualité similaire à l'huile d'olive. Contrairement aux graines de pavot (ci-contre), elles ne contiennent pas d'opiacés narcotiques.

Sanguinaire du Canada

Sanguinaria canadensis

Taille et description Plante forestière vivace à floraison précoce, mesurant jusqu'à 30 cm et possédant des racines rouge sang. Fleurs blanches composées de 8 à 10 pétales, apparaissant en général avant les feuilles.

Répartition Plante originaire d'Amérique du Nord.

Utilisations Toxique sauf à faibles doses. La racine fraîche était autrefois utilisée par les Indiens d'Amérique pour traiter les affections pulmonaires et respiratoires. Son utilisation commerciale actuelle se limite exclusivement aux dentifrices et aux bains de bouche contre la plaque dentaire.

Alliaire officinale

Alliaria petiolata

Taille et description Plante bisannuelle à tige dressée mesurant jusqu'à 1,20 mètre. Feuilles en forme de cœur, crénelées et dégageant une odeur d'ail lorsqu'on les froisse. Fleurs blanches à 4 pétales, suivies par des fruits allongés mesurant de 6 à 20 mm de long. Appelée aussi herbe à l'ail.

Répartition Pousse dans toute l'Europe, en Afrique du Nord, en Asie centrale et de l'Ouest.

Utilisations Possède un léger goût d'ail. Cueillies avant la floraison, les feuilles peuvent être consommées en salades et en sauces.

Raifort

Armoracia rusticana

Taille et description Plante vivace robuste mesurant jusqu'à 1,20 mètre, à racine pivotante charnue. Grandes feuilles pétiolées brillantes, oblongues à ovales, à marge dentée. Hampes florales feuillues, dressées et rameuses. Fleurs blanches, à 4 pétales. Appelé aussi moutarde des Allemands.

Répartition Originaire d'Europe du Sud et d'Asie de l'Ouest. Cultivé et naturalisé dans de nombreuses régions tempérées.

Utilisations Râpée et mélangée avec de la crème, la racine piquante et âcre fait une sauce très prisée dans les gastronomies anglaise et allemande. Les jeunes feuilles peuvent être consommées dans les salades. Propriétés stimulantes et antibiotiques : on utilise le raifort pour lutter contre les rhumes et les sinusites, ainsi que pour les infections urinaires, la goutte, l'arthrite et les problèmes circulatoires.

Moutarde noire

Brassica nigra

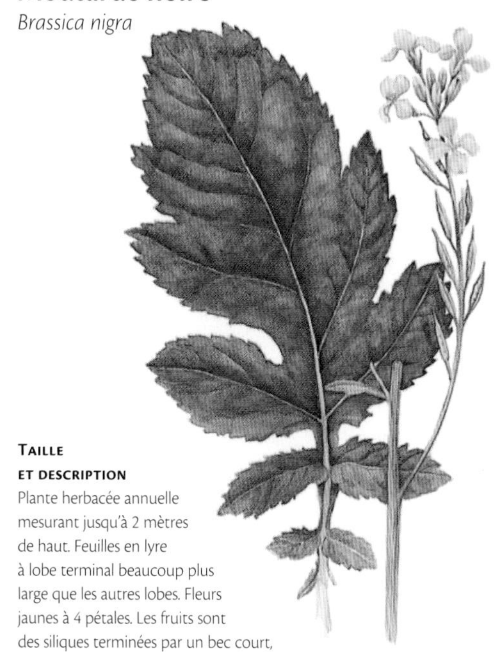

Taille et description Plante herbacée annuelle mesurant jusqu'à 2 mètres de haut. Feuilles en lyre à lobe terminal beaucoup plus large que les autres lobes. Fleurs jaunes à 4 pétales. Les fruits sont des siliques terminées par un bec court, appliquées contre les rameaux et contenant des graines brun-noir. Appelée aussi moutarde officinale ou sénevé.

Répartition Répandue dans les régions tempérées et communément cultivée.

Utilisations Les feuilles et les fleurs peuvent être consommées en salade, sautées à la poêle et en sandwichs. Les graines moulues servent à fabriquer la moutarde. Stimulante, chauffante, antibiotique, on l'utilise pour soulager les douleurs musculaires et les infections de l'appareil respiratoire.

Moutarde blanche

Sinapis alba

Taille et description Très proche de la moutarde noire mais fleurs légèrement plus grandes et fruits à bec large, détachés de la tige. Les graines sont pâles. Appelée aussi moutarde anglaise.

Répartition Pousse dans presque toute l'Europe et au Proche-Orient ; introduite dans de nombreuses autres régions.

Utilisations
Similaires à celles de la moutarde noire. L'espèce blanche est plus douce. Les graines entières sont utilisées dans les condiments au vinaigre (pickles) et les jeunes pousses peuvent être consommées avec du cresson en salade et dans les sandwichs.

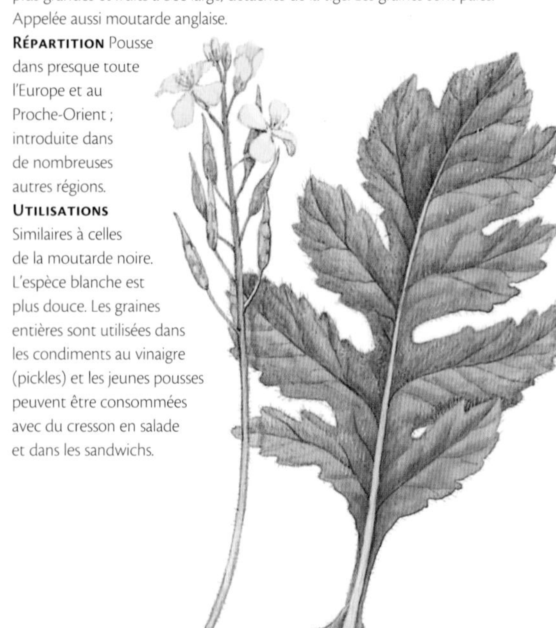

Cresson de fontaine

Rorippa nasturtium-aquaticum

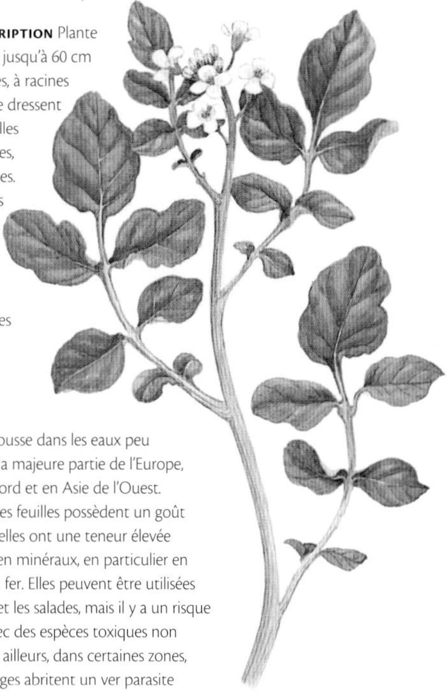

TAILLE ET DESCRIPTION Plante vivace mesurant jusqu'à 60 cm à tiges rampantes, à racines adventives qui se dressent pour fleurir. Feuilles brillantes, pennées, à folioles arrondies. Des petites fleurs blanches à 4 pétales. Fruits fins contenant deux rangées de graines de chaque côté. Appelé aussi cresson officinal, cresson d'eau.

RÉPARTITION Pousse dans les eaux peu profondes dans la majeure partie de l'Europe, en Afrique du Nord et en Asie de l'Ouest.

UTILISATIONS Les feuilles possèdent un goût piquant et âcre, elles ont une teneur élevée en vitamines et en minéraux, en particulier en vitamine C et en fer. Elles peuvent être utilisées dans les soupes et les salades, mais il y a un risque de confusion avec des espèces toxiques non apparentées. Par ailleurs, dans certaines zones, les plantes sauvages abritent un ver parasite à l'origine d'une grave maladie du foie. Il est préférable de les éviter. Propriétés antibactériennes et antifongiques. Utilisé pour soigner les affections des voies respiratoires.

Cranson officinal

Cochlearia officinalis

Taille et description Plante bisannuelle ou vivace mesurant jusqu'à 50 cm de haut. Feuilles basales réniformes en rosette lâche, longuement pétiolées. Feuilles caulinaires embrassantes et charnues. Fleurs blanches, parfois lilas. Appelé aussi cochléaire officinale, herbe au scorbut.

Répartition Zones côtières d'Europe du Nord-Ouest et dans les Alpes.

Utilisations Les feuilles relativement amères peuvent être ajoutées dans les soupes, les salades et les sauces. Les feuilles fraîches étaient autrefois consommées par les marins lors des longues traversées pour prévenir le scorbut lié à une carence en vitamine C. On en faisait aussi un tonique.

Barbarée commune

Barbarea vulgaris

Taille et description Plante vivace ou bisannuelle mesurant jusqu'à 80 cm, à tiges dressées. Feuilles inférieures à lobe terminal arrondi ; feuilles supérieures plus petites à bord ondulé. Fleurs jaunes en grappe terminale. Appelée aussi cresson de terre, herbe de Sainte-Barbe, herbe aux charpentiers, roquette des marais.

Répartition Commune dans pratiquement toute l'Europe.

Utilisations Saveur piquante similaire à celle du cresson. Autrefois communément cultivée en Europe comme légume vert. Les feuilles peuvent être préparées et dégustées comme des épinards, les jeunes pousses se cuisent à la vapeur ou sautées à la poêle.

Cardamine hirsute

Cardamine hirsuta

Taille et description Plante annuelle à tiges dressées mesurant jusqu'à 30 cm. Feuilles pennées à folioles oblongues. Petites fleurs blanches, en grappes terminales lâches. Les fruits sont des siliques étroites et longues. Appelée aussi cardamine hérissée, cresson des murailles, cresson velu.

Répartition Commune dans toute l'Europe.

Utilisations Saveur âcre mais pas aussi piquante que celle du cresson de fontaine. Peut être utilisée en salade ou cuite comme des épinards.

Capselle bourse-à-pasteur

Capsella bursa-pastoris

Taille et description Plante annuelle ou bisannuelle mesurant jusqu'à 40 cm de haut. Feuilles basales en rosette, feuilles caulinaires sessiles et embrassantes. Minuscules fleurs blanches en grappes lâches. Les fruits sont des capsules en forme de cœur qui ressemblent aux bourses que les hommes accrochaient à leur ceinture au Moyen Âge, d'où le nom de la plante.

Répartition Commune dans toute l'Europe.

Utilisations Les feuilles jeunes, cueillies avant la floraison, peuvent être ajoutées dans les soupes, les sauces, les salades et les ragoûts, mais aussi sautées à la poêle. En remède naturel, on l'utilise surtout contre les hémorragies.

Tabouret des champs

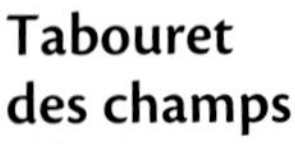

Thlaspi arvense

Taille et description Plante annuelle mesurant jusqu'à 50 cm. Les premières feuilles sont ovales et pointues, elles forment une rosette basale. Feuilles caulinaires embrassantes, lancéolées à la base avec un bord denté. Petites fleurs à pétales blancs, en épi ascendant. Les fruits sont de grosses capsules en forme de cœur. Appelé aussi herbe aux écus, monnoyère, thlaspi ou moutarde sauvage.

Distribution Il est commun dans presque toute l'Europe, moins fréquent dans le nord.

Utilisations Goût légèrement amer. On peut en ajouter une petite quantité finement ciselée dans les salades, les soupes et les sauces.

Câprier épineux

Capparis spinosa

Taille et description Arbuste vivace à branches tout en longueur, parfois épineuses, mesurant jusqu'à 1,5 mètre de long. Feuilles charnues, circulaires à ovales. Fleurs blanches ou blanc rosâtre, à 4 pétales, avec une masse de longues étamines violacées au centre. Appelé aussi câprier commun.

Distribution Originaire de régions tropicales et subtropicales, indigène dans les sites rocailleux du Bassin méditerranéen.

Utilisations Contient de l'acide caprique. On utilise les câpres comme condiments et dans des sauces comme la sauce tartare. Seuls les boutons floraux encore verts sont comestibles, on les fait mariner dans du vinaigre de vin pour faire ressortir leur saveur caractéristique.

Cannelier de Ceylan

Cinnamomum zeylanicum

Taille et description Petit arbre à feuillage persistant mesurant jusqu'à 10 mètres de haut. Feuilles opposées, ovales à elliptiques, fortement nervurées, vert foncé brillant. Les fleurs poussent en petites grappes ramifiées jaunes et sont suivies par des baies violet foncé. L'épice est fournie par l'écorce interne séchée des jeunes pousses.

Distribution Originaire du Sri Lanka et de la côte sud-ouest de l'Inde ; cultivé partout en Orient et aux Antilles.

Utilisations La cannelle est couramment utilisée comme épice en pâtisserie et dans les cocktails comme le punch. En remède, on la préconise contre les rhumes, la toux et les maux d'estomac.

Cannelier de Chine

Cinnamomum aromaticum

Taille et description Proche parent du cannelier de Ceylan (ci-contre), mais l'arbre est beaucoup plus grand. L'épice est obtenue à partir de trois parties de l'arbre. Appelé aussi cassier, cannelle de Cochinchine, fausse cannelle.
Distribution Indigène en Chine et en Birmanie, cultivé dans de nombreuses régions subtropicales.
Utilisations L'écorce interne séchée est très similaire à celle du cannellier de Ceylan et est souvent utilisée comme substitut de cette dernière, mais sa texture est plus rigide et sa saveur plus piquante. Les feuilles séchées sont surtout employées dans la cuisine indienne. Les fruits encore verts séchés sont parfois vendus sous le nom de boutons de casse et utilisés pour aromatiser les desserts et les boissons.

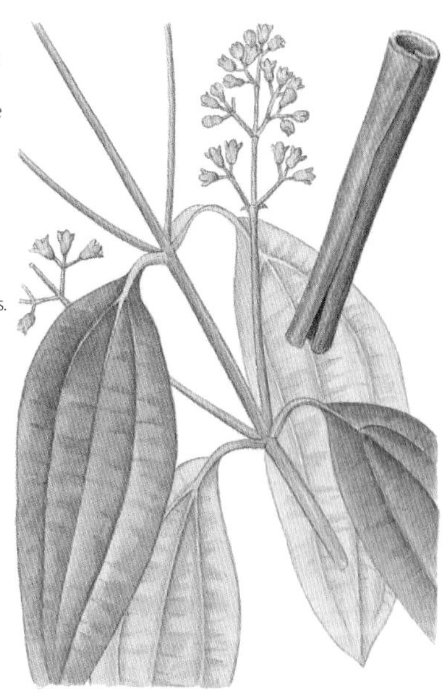

Laurier-sauce

Laurus nobilis

Taille et description Arbre buissonnant à feuilles persistantes, mesurant jusqu'à 20 mètres de haut. Feuilles à bord ondulé, ponctuées de nombreuses glandes contenant une huile, elles dégagent une forte odeur épicée lorsqu'on les froisse. Fleurs vert jaunâtre à 4 pétales, mâles et femelles sur des arbres distincts. Appelé aussi laurier vrai, laurier d'Apollon, laurier noble et laurier commun.

Distribution Originaire des régions sèches du Bassin méditerranéen, aujourd'hui largement cultivé partout en pots et comme arbuste.

Utilisations Employé autrefois comme herbe à joncher le sol, on utilisait aussi ses rameaux pour faire les couronnes de laurier de la Grèce antique. Dans la culture romaine, les couronnes de laurier étaient un symbole de victoire. C'est une plante aromatique employée fraîche ou séchée depuis très longtemps dans les soupes, les ragoûts et d'autres plats.

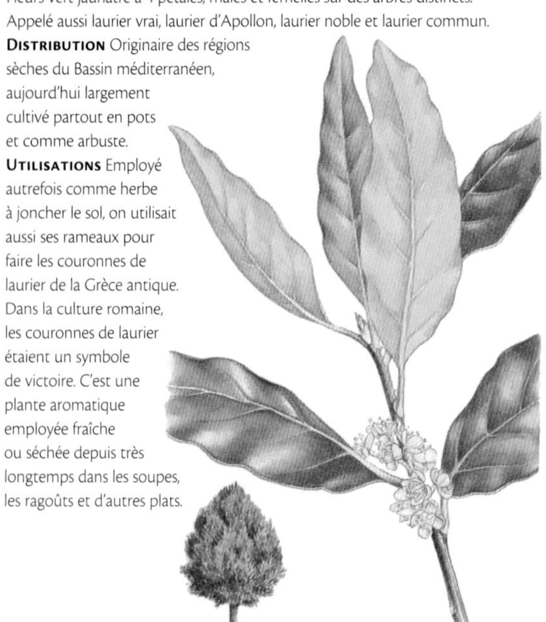

Badianier de Chine

Illicium verum

TAILLE ET DESCRIPTION Arbuste ou petit arbre à feuillage persistant et écorce blanche, mesurant jusqu'à 5 mètres de haut. Grandes feuilles et petites fleurs blanches aux nombreux pétales. Le « fruit » est composé de 8 gousses contenant chacune une seule graine, disposées en étoile. Appelé aussi badiane, anis étoilé.
DISTRIBUTION Indigène en Chine du Sud, où il est aussi cultivé, et dans le nord-est du Viêtnam.
UTILISATIONS Les fruits sont cueillis encore verts, puis séchés. Ingrédient essentiel de la cuisine asiatique, on l'utilise pour parfumer les plats, notamment le bœuf et les poissons en sauce. L'huile de badiane sert à aromatiser les boissons. On préconise des infusions du fruit ou des graines contre les maux de gorge et les troubles digestifs. Ne pas en donner aux jeunes enfants car il peut causer des vomissements et des syncopes.

Ylang-ylang

Cananga odorata

TAILLE ET DESCRIPTION Arbre à feuillage persistant et écorce tendre, gris cendré, mesurant jusqu'à 33 mètres. Grandes feuilles à bord ondulé. Grandes fleurs retombantes, d'abord verdâtres, puis jaunes, à 6 pétales étroits d'environ 75 mm de long. Elles dégagent une odeur rappelant le jasmin. Appelé aussi arbre à parfum.

DISTRIBUTION Originaire des tropiques de l'Asie à l'Australie et cultivé partout ailleurs en Extrême-Orient. Également cultivé dans les climats tempérés dans des jardins d'hiver.

UTILISATIONS Les fleurs produisent une huile très parfumée utilisée en aromathérapie pour ses propriétés relaxantes et antidépressives. Une utilisation excessive ou prolongée peut entraîner des maux de tête et des nausées.

Orpin brûlant

Sedum acre

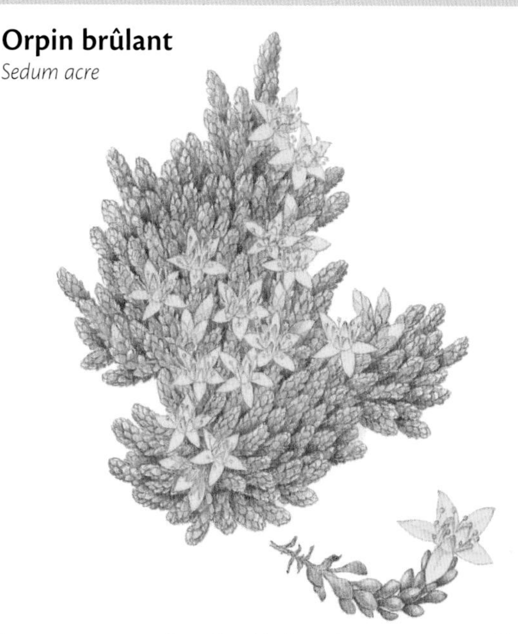

Taille et description Plante vivace à feuilles persistantes poussant en touffes et mesurant jusqu'à 10 cm de haut. Feuilles charnues et enflées, serrées sur des pousses courtes et stériles, plus espacées sur les hampes florales. Fleurs étoilées jaune vif. Appelé aussi sédum âcre, pain d'oiseau, poivre des murailles, orpin jaune.
Distribution Pousse dans toute l'Europe, l'Asie du Nord et de l'Ouest, l'Afrique du Nord et l'Amérique du Nord.
Utilisations Les feuilles séchées et pilées ont un goût poivré et sont parfois conseillées comme condiment même si elles sont légèrement toxiques. Autrefois utilisé comme plante médicinale pour traiter l'épilepsie et les maladies de peau, on l'emploie aujourd'hui surtout pour enlever les cors.

Framboisier sauvage

Rubus idaeus

Taille et description
Plante vivace aux pousses bisannuelles, à tiges dressées ligneuses munies de fins aiguillons, mesurant jusqu'à 1,5 mètre de haut. Feuilles imparipennées, à 5 à 7 folioles, blanches feutrées sur le dessous. Fleurs retombantes blanches en petites grappes. Appelé aussi ronce du Mont Ida.

Distribution Originaire des régions fraîches d'Europe, du nord de l'Asie et d'Asie centrale, largement cultivé.

Utilisations Donne des fruits comestibles très appréciés qui peuvent être dégustés crus et en confitures, sirops, liqueurs et vinaigres. On préconise une tisane de feuilles de framboisier pour traiter divers rhumes et en cas de fièvre chez les enfants, ainsi qu'à la fin de la grossesse pour tonifier les muscles en préparation de l'accouchement.

Églantier

Rosa canina

Taille et description
Buisson à feuilles caduques souvent grimpant, mesurant jusqu'à 5 mètres de haut, muni de larges épines crochues. Fleurs roses ou blanches. Les fruits appelés cynorrhodons peuvent être globuleux, ovoïdes ou elliptiques. Appelé aussi rosier sauvage, rosier des bois, rosier des chiens.

Distribution Indigène en Europe, en Afrique du Nord et en Asie, naturalisé en Amérique du Nord.

Utilisations Les cynorrhodons contiennent plus de vitamine C que les agrumes. Cueillis après les premières gelées automnales, quand ils sont plus tendres et plus sucrés, ils peuvent servir à faire des soupes, des vins, des tisanes, des sirops, des confitures et des gelées. Les pétales peuvent être consommés dans des salades ou des gelées parfumées, mais également utilisés pour faire des parfums et des pots-pourris.

Rose rouge

Rosa gallica var. *officinalis*

Taille et description Arbuste à feuilles caduques, à croissance étalée, mesurant jusqu'à 1 mètre, garni d'épines. Fleurs rose profond, très parfumées. Fruits rouge vif et globuleux. Appelée aussi rose de Provins, rose de France.

Distribution Indigène en Europe, à partir de la Belgique et en direction du sud.

Utilisations Plante médicinale et culinaire, utilisée comme condiment, dans les parfums, les poudres cosmétiques et les huiles. Les boutons servent à préparer des confitures et des gelées. Les pétales peuvent être cristallisés ou transformés en confit. On en jonchait autrefois le sol des maisons et ils entrent dans la composition de pots-pourris. L'huile distillée à partir des fleurs est utilisée en aromathérapie contre les problèmes de tension, le stress émotionnel et l'insomnie.

Reine-des-prés

Filipendula ulmaria

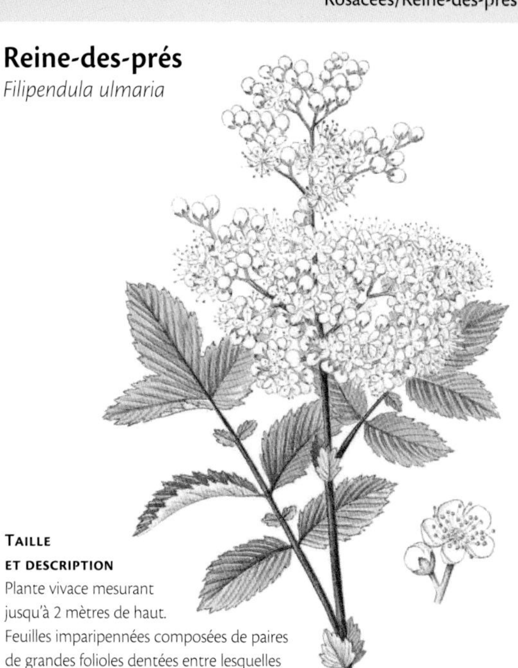

Taille et description Plante vivace mesurant jusqu'à 2 mètres de haut. Feuilles imparipennées composées de paires de grandes folioles dentées entre lesquelles s'intercalent des folioles beaucoup plus petites. Fleurs blanc crème, au parfum un peu écœurant, regroupées en grappes vaporeuses mesurant jusqu'à 25 cm de long.

Distribution Présente dans la majeure partie de l'hémisphère Nord tempéré.

Utilisations Les fleurs peuvent être utilisées pour faire un sirop destiné aux boissons rafraîchissantes et aux salades de fruits, les feuilles pour parfumer les conserves. Contient des substances chimiques qui composent l'aspirine, une infusion de fleurs fraîches est préconisée pour les problèmes traités habituellement avec de l'aspirine.

Aigremoine eupatoire

Agrimonia eupatoria

Taille et description
Plante vivace à feuilles surtout basales et à long épi fleuri mesurant jusqu'à 60 cm de haut. Feuilles pennées à 2 ou à 3 paires de petites folioles entre chaque paire de grandes folioles. Fleurs jaunes à 5 pétales. Fruits hérissés de crochets. Appelé aussi herbe de Saint-Guillaume ou eupatoire des Anciens.

Distribution Indigène dans toute l'Europe et jusqu'en Anatolie et en Afrique du Nord.

Utilisations Les parties aériennes vertes ont une teneur élevée en tannins, ce qui explique son efficacité en tant que tonique digestif et en gargarisme. Longtemps utilisée pour soigner les plaies, des études récentes semblent indiquer qu'elle favoriserait la coagulation.

Pimprenelle

Sanguisorba minor

TAILLE ET DESCRIPTION Plante vivace présentant une rosette basale de feuilles pennées et une hampe florale feuillue mesurant jusqu'à 50 cm. Petites fleurs verdâtres à 4 sépales mais dépourvues de pétales, en têtes compactes terminales ovoïdes ou globuleuses. Appelée aussi sanguisorbe mineure, petite pimprenelle, petite sanguisorbe, pimprenelle ordinaire.

DISTRIBUTION Pousse dans la majeure partie de l'Europe sur les pelouses sèches et dans certaines régions du Moyen-Orient et d'Afrique du Nord.

UTILISATIONS Les feuilles ont une légère saveur de concombre. Jeunes, elles se dégustent en salade et en soupe et peuvent accompagner des fromages à pâte molle. La plante reste souvent verte pendant l'hiver et était autrefois cultivée lorsque la saison des légumes verts était terminée.

Benoîte

Geum urbanum

Taille et description Plante vivace mesurant jusqu'à 60 cm de haut, à feuilles basales pennées et feuilles caulinaires profondément lobées. Fleurs jaune vif. Les fruits sont des akènes étroits et velus, réunis dans une tête surmontée d'un style crochu, qui en contient environ 70. Appelée aussi benoîte officinale, herbe de Saint-Benoît, herbe du bon soldat, racine-bénite.

Distribution Indigène dans la plupart des régions d'Europe et d'Asie de l'Ouest.

Utilisations Les jeunes feuilles peuvent être ajoutées dans les potages et les ragoûts. La racine contient la même huile que le giroflier et est également antiseptique. Elle a aussi été utilisée à la place de la quinine pour lutter contre la fièvre. Comme l'aigremoine, la benoîte contient des tannins qui stimulent la digestion.

Alchémille des champs

Aphanes arvensis

TAILLE ET DESCRIPTION Petite plante annuelle mesurant jusqu'à 10 cm. Feuilles à lobes très profonds, rappelant le persil, divisées en 3 segments composés chacun d'un maximum de 5 lobes terminaux. Minuscules fleurs en grappes dans des coupes feuillues serrées sur la tige. Appelée aussi perce-pierre.

DISTRIBUTION Commune dans les champs arables et sur les sols dénudés dans toute l'Europe.

UTILISATIONS Possède une saveur légèrement acide très agréable dans les salades. En phytothérapie, on l'utilise pour soulager les problèmes de rein et de vessie.

Aubépine

Crataegus monogyna

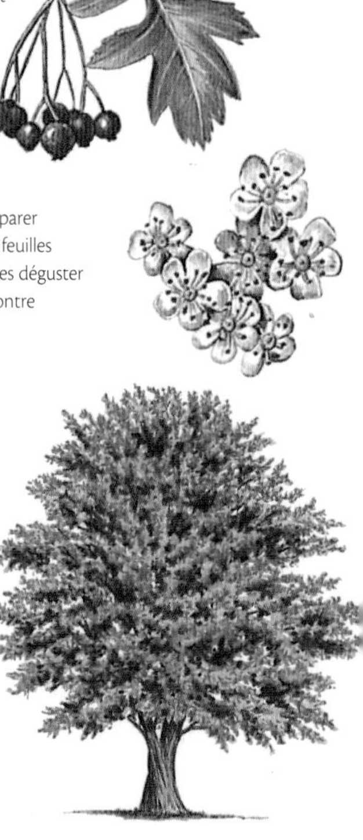

Taille et description Arbre épineux à feuilles caduques mesurant jusqu'à 18 mètres de haut. Feuilles vert foncé, à lobes très profonds. Fleurs blanches et fruits rouge foncé ou rouge vif. Appelée aussi épine blanche, épine de mai.

Distribution Pousse dans toute l'Europe et une grande partie de l'Asie.

Utilisations Les baies servent à préparer une liqueur. Les boutons et les jeunes feuilles ont un goût léger et délicat, on peut les déguster dans des salades. Peut aider à lutter contre l'hypotension ou l'hypertension, mais aussi les problèmes cardiaques tels que les spasmes artériels et les angines de poitrine.

Alisier blanc

Sorbus aria

TAILLE ET DESCRIPTION
Arbre à feuilles caduques mesurant jusqu'à 12 mètres de haut, parfois avec plusieurs troncs. Écorce grise lisse et cime en dôme irrégulier. Feuilles ovales alternes irrégulièrement dentées, vert vif en haut et vert pâle en dessous. Fleurs blanches en corymbes. Fruits écarlates. Appelé aussi sorbier des Alpes, alisier de Bourgogne.

DISTRIBUTION Indigène dans le sud de la Grande-Bretagne, en Europe centrale et du Sud.

UTILISATIONS Le goût des fruits est d'abord amer, mais s'améliore lorsqu'on les stocke jusqu'à ce qu'ils soient parfaitement mûrs, ce qui fait ressortir leur douceur. Ils peuvent être transformés en gelées. Séchés et pilés grossièrement en poudre, on peut les ajouter dans les céréales du petit déjeuner, mais aussi dans de la pâte à pain ou à gâteaux.

Impatiente du Cap

Impatiens capensis

Taille et description Buisson annuel mesurant jusqu'à 1,5 mètre, à tiges charnues et presque transparentes. Feuilles vert pâle et cireuses sur le dessous. Fleurs à 5 pétales irréguliers orange doré tachetés de marron, portées par une tige très fine. Les fruits sont des capsules sèches.

Distribution Originaire d'Amérique du Nord, elle s'est naturalisée dans certaines régions d'Europe.

Utilisations Les feuilles et les tiges jeunes peuvent être consommées crues en salade ou cuites à la vapeur. Les gousses vertes peuvent être sautées à la poêle ou dégustées crues. Réputée pour son action sur les problèmes de peau : les feuilles et la sève sont utilisées pour soulager les éruptions dues aux orties, au sumac vénéneux et d'autres plantes, les piqûres d'insecte et d'autres types de dermatites.

Genêt à balai

Cytisus scoparius

Taille et description Arbuste très ramifié mesurant jusqu'à 2 mètres de haut, à rameaux fins et flexibles, striés, de couleur verte. Petites feuilles trifoliées ou simples, apparaissant souvent très tôt. Fleurs jaunes papilionacées, très nombreuses. Gousses aplaties et oblongues, poilues au bord et noires à maturité. Appelé aussi sarothamme, spartier à balai, genettier, brande, juniesse.

Distribution Répandu dans la majeure partie de l'Europe.

Utilisations En Grande-Bretagne, les boutons floraux marinés au vinaigre étaient utilisés en cuisine à l'époque élisabéthaine. Contient de la spartéine, un alcaloïde employé dans le traitement des maladies cardiaques et en obstétrique. C'est un puissant diurétique. Ne doit être utilisé que sous surveillance médicale.

Réglisse

Glycyrrhiza glabra

Taille et description Plante vivace rhizomateuse à tiges dressées, mesurant jusqu'à 1,2 mètre. Feuilles imparipennées à folioles collantes sur le dessous. Petites fleurs papilionacées violet bleuté, en épis dressés à l'aisselle des feuilles. Appelée aussi réglisse officinale, réglisse glabre, bois doux, bois sucré ou racine douce.

Distribution
Indigène en Europe du Sud et en Asie de l'Ouest, également cultivée.

Utilisations
Confiserie très appréciée, utilisée comme agent de saveur dans certaines bières, boissons sucrées et diverses tisanes à base de plantes. Les racines contiennent de la glycyrrhizine dont le pouvoir sucrant est 50 fois supérieur à celui du sucre. Utilisée comme laxatif et contre les brûlures d'estomac, les ulcères, les rhumes et la toux, ainsi que pour masquer le goût désagréable de certains médicaments.

Fenugrec

Trigonella foenum-graecum

Taille et description Plante annuelle mesurant jusqu'à 50 cm, à feuilles trifoliées aux folioles dentées. Fleurs papilionacées, blanc-jaune, teintées de violet à la base. Gousses étroites et légèrement arquées, mesurant jusqu'à 14 cm de long, contenant 20 graines brun-jaune très dures. Appelé aussi trigonelle, sénégrain.

Distribution
Probablement originaire d'Asie du Sud-Ouest, cultivé et largement naturalisé en Europe centrale et du Sud et dans d'autres régions.

Utilisations
Les graines sont souvent ajoutées dans les currys et les conserves. Quand on les fait pousser comme du cresson, elles donnent une saveur de curry doux aux salades.
Riche en vitamines et minéraux, en particulier en calcium, le fenugrec faciliterait la digestion.

Séné

Senna alexandrina

Taille et description Arbrisseau d'environ 50 cm de haut. Feuilles divisées en folioles lancéolées disposées par paires. Fleurs jaunes, à 5 pétales, en épis lâches dressés. Gousses aplaties mesurant environ 2,5 cm de large.

Distribution Originaire des zones semi-désertiques de Somalie et du Yémen, cultivé en Asie.

Utilisations Le séné est sans doute le plus connu des laxatifs. Les substances chimiques actives, les glycosides anthraquinoniques, se trouvent dans les feuilles et surtout les gousses. On le mélange en général dans un sirop avec d'autres plantes et épices comme la cannelle, le gingembre ou la réglisse pour améliorer son goût.

Tamarinier

Tamarindus indica

TAILLE ET DESCRIPTION Arbre à feuillage persistant très dense pouvant mesurer jusqu'à 30 mètres. Feuilles pennées divisées en 10 à 20 paires de folioles très serrées. Longues gousses pendantes mesurant jusqu'à 2 cm de long qui contiennent les graines enfouies dans une pulpe jaune. Appelé aussi datte de l'Inde.

DISTRIBUTION
Peut-être originaire d'Afrique tropicale, mais inconnu à l'état sauvage. Largement cultivé en Inde et dans d'autres régions tropicales.

UTILISATIONS Généralement vendu en pâte ou en bloc, on le fait tremper dans de l'eau chaude avant de l'égoutter pour l'utiliser. Sa saveur piquante très développée en fait un condiment apprécié dans les currys, les chutneys, les sauces et les boissons. Utilisé localement pour lutter contre la fièvre causée par les vents chauds. Riche en glucosides et en acides citrique, tartrique et malique.

Capucine

Tropaeolum majus

Taille et description
Plante annuelle rampante ou grimpante, aux tiges mesurant jusqu'à 2 mètres de long. Feuilles en parasol, le pétiole est attaché au milieu du limbe. Fleurs orange, jaunes ou rouges, mesurant 60 mm de diamètre, avec un éperon pointé vers l'arrière. Fruits trilobés.

Distribution Originaire du Pérou et largement cultivée dans une vaste palette d'autres formes et couleurs.

Utilisations Les fleurs au goût poivré peuvent être ajoutées dans les salades. Les fleurs et les feuilles sont utilisées dans des tisanes et les fruits cueillis jeunes peuvent remplacer les câpres. Toutes les parties sont riches en vitamine C et en composés soufrés antibiotiques qui peuvent aider à combattre les infections. Il ne faut pas en consommer plus de 15 g à la fois.

Pélargonium odorant

Pelargonium graveolens

Taille et description Plante vivace mesurant jusqu'à 2 mètres de haut, à feuilles lobées, parfumées. Fleurs roses ou mauves, en ombelles lâches. Appelé aussi géranium rosat.

Distribution Originaire d'Afrique du Sud, cultivé dans la plupart des régions du monde.

Utilisations Introduit en Angleterre au milieu du XVIIe siècle, on l'utilisait à l'époque victorienne pour parfumer les maisons. Plante ornementale, il dégage des parfums de rose, de citron et de menthe. Son feuillage exhale un parfum de rose et ses feuilles fraîches ou séchées peuvent servir à parfumer les crèmes desserts, les glaces, les gelées, les gâteaux et les coulis sucrés. L'huile essentielle de cette plante est utilisée en parfumerie, en cosmétique et en aromathérapie. On l'emploie aussi dans les arômes alimentaires ou les parfums d'ambiance, les pots-pourris et les bougies notamment.

Ricin sanguin

Ricinus communis

Taille et description Plante vivace robuste mesurant jusqu'à 12 mètres de haut. Feuilles palmées, brillantes, mesurant 45 cm de diamètre, composées de 5 à 9 lobes. Épis rigides, fleurs mâles verdâtres sous des grappes de fleurs femelles rougeâtres à l'apparence épineuse. Fruits verdâtres à violet rougeâtre, jusqu'à 2 cm de long, globulaires et hérissés de pointes. Appelé aussi ricin commun.

Distribution Originaire des zones tropicales, largement cultivé et naturalisé dans de nombreuses régions.

Utilisations L'huile de ricin est obtenue à partir des graines écrasées et entre dans la composition de carburants, lubrifiants, peintures, vernis et produits insectifuges. C'est aussi un laxatif doux. Les graines contiennent de la ricine, un poison mortel.

Rue puante

Ruta graveolens

Taille et description
Arbuste aromatique à feuilles persistantes mesurant jusqu'à 45 cm de haut. Feuilles vert grisâtre composées. Fleurs à 4 pétales jaunes se terminant par un crochet incurvé. Appelée aussi rue fétide, rue des jardins, rue domestique, herbe de grâce.

Distribution Originaire de l'est du Bassin méditerranéen, largement cultivée et parfois naturalisée dans d'autres zones.

Utilisations Les parties aériennes fournissent une huile utilisée à faible dose pour renforcer les vaisseaux sanguins et traiter les coliques. Parfois préconisée en tisane comme vermifuge. La sève peut entraîner une forte réaction allergique au contact de la peau. Toxique à forte dose, ne doit être utilisée que sous surveillance médicale et jamais pendant la grossesse.

Arbre à encens

Boswellia sacra

Taille et description Arbrisseau ou petit arbre à feuilles persistantes mesurant jusqu'à 6 mètres de haut. L'écorce a la texture du papier. Feuilles pennées avec des grappes en épis de petites fleurs blanches cireuses placées aux aisselles.

Distribution Originaire de Somalie et d'Arabie. Des études récentes indiquent que le nombre d'arbres est en déclin en raison de la surexploitation.

Utilisations Ingrédient majeur de l'encens sacré, utilisé depuis des temps immémoriaux par de nombreuses civilisations dont celles des Égyptiens, des Babyloniens et des Grecs anciens. L'encens est extrait de la résine gommeuse de nombreuses espèces très proches, dont celle-ci est l'une des plus importantes. Employée en aromathérapie, l'huile est en général mélangée à d'autres huiles pour soigner les blessures, les cicatrices ainsi que les infections bactériennes et fongiques. Elle entre aussi dans la composition de savons, de produits cosmétiques et de parfums.

Quassia

Quassia amara

Taille et description Arbrisseau ou petit arbre mesurant jusqu'à 3 mètres (plus rarement 8 mètres). Feuilles pennées, divisées en 5 folioles. Fleurs rouge vif à l'extérieur et blanches à l'intérieur, tubuleuses, en grappes à l'extrémité des rameaux. Appelé aussi bois amer, quassia du Surinam.

Distribution Indigène en Amérique tropicale, largement planté à l'extérieur de sa zone d'origine.

Utilisations L'écorce comme les racines contiennent des principes amers qui étaient autrefois utilisés pour traiter la dysenterie et entrent dans la composition d'apéritifs et de boissons gazeuses. En phytothérapie, on l'utilise contre les troubles digestifs, la fièvre et les vers intestinaux. On peut l'appliquer localement pour repousser les insectes. Ne pas confondre avec *Picrasma excelsa*, un arbre à fleurs vertes des Antilles dont on fait bouillir des copeaux dans de l'eau pour fabriquer un insecticide.

Nerprun cascara

Rhamnus purshiana

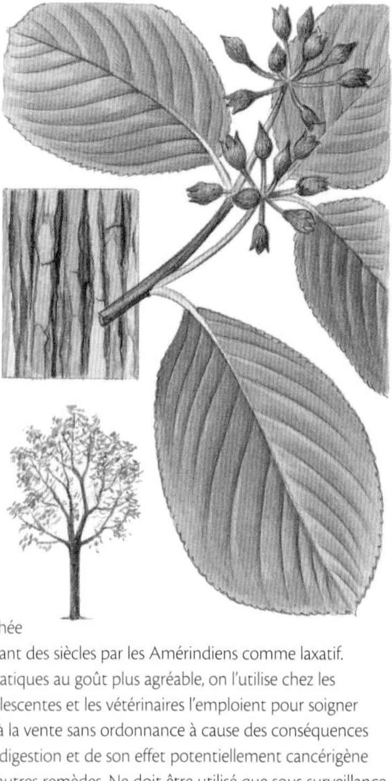

TAILLE ET DESCRIPTION Petit arbrisseau ou arbre à feuilles caduques mesurant jusqu'à 12 mètres de haut, à l'écorce gris pâle. Feuilles à nervures saillantes et présence de grappes de minuscules fleurs verdâtres à l'aisselle des feuilles. Baies d'abord rouge vif, puis noir violacé à maturité. Appelé aussi écorce sacrée et cascara.

DISTRIBUTION Il est originaire d'Amérique du Nord.

UTILISATIONS L'écorce séchée et vieillie a été utilisée pendant des siècles par les Amérindiens comme laxatif. Associée à des herbes aromatiques au goût plus agréable, on l'utilise chez les personnes fragiles ou convalescentes et les vétérinaires l'emploient pour soigner les chiens. Elle est interdite à la vente sans ordonnance à cause des conséquences indésirables possibles sur la digestion et de son effet potentiellement cancérigène en cas d'interaction avec d'autres remèdes. Ne doit être utilisé que sous surveillance médicale.

Tilleul commun

Tilia x vulgaris

Taille et description

Petit arbre à cime étroite et feuilles caduques mesurant jusqu'à 46 mètres de haut. Feuilles larges, en cœur, souvent couvertes de sève collante. Fleurs blanc jaunâtre, parfumées, suspendues en grappe sous une bractée oblongue.

Distribution Hybride naturel de deux espèces européennes ; souvent planté dans les villes.

Utilisations La tisane préparée avec les feuilles odorantes peut être utilisée pour lutter contre les troubles nerveux, les migraines et l'insomnie. Les fleurs ont aussi un effet bénéfique sur certains troubles de la circulation, contre les rhumes et les maladies des bronches.

Guimauve officinale

Althaea officinalis

Taille et description Plante vivace à tiges recouvertes de poils denses gris, mesurant jusqu'à 2 mètres. Feuilles à larges dents, parfois palmées. Fleurs rose lilas à pétales en cœur, poussant sur de grands épis.

Distribution Elle est originaire d'Europe, d'Afrique du Nord et d'Asie de l'Ouest.

Utilisations Les racines donnent une confiserie. Les jeunes feuilles et fleurs peuvent être consommées dans les salades. La guimauve a une teneur élevée en mucilage, on l'utilise pour soulager les inflammations de l'estomac, faire des gargarismes pour la gorge et les infections buccales et pour apaiser les douleurs liées aux cystites.

Mauve sylvestre

Malva sylvestris

Taille et description

Plante vivace mesurant jusqu'à 1,5 mètre, à tige épaisse et velue qui peut être dressée ou rayonnante. Feuilles rondes composées de 3 à 5 lobes dentés, étroits, recouvertes d'un fin duvet. Fleurs à 5 pétales mauves à veines violet foncé au centre. Appelée aussi grande mauve, fausse guimauve, fromageon.

Distribution Commune dans toute l'Europe, à l'exception des régions les plus septentrionales.

Utilisations Les feuilles et les pousses jeunes possèdent une saveur très douce et une texture mucilagineuse. Elles peuvent être utilisées en salades, finement ciselées dans les soupes et les ragoûts ou cuites comme des légumes. Les fleurs se dégustent dans des salades. Moins puissante sur le plan médicinal que la guimauve (ci-contre).

Millepertuis perforé

Hypericum perforatum

Taille et description Plante vivace à rhizomes mesurant jusqu'à 80 cm de haut, tiges ligneuses à la base présentant 2 lyres saillantes. Feuilles sessiles, criblées de nombreuses glandes translucides. Fleurs jaunes à nombreuses étamines. Appelé aussi herbe aux mille trous, herbe percée, herbe aux piqûres, chasse-diable.

Distribution Répandu dans les régions tempérées.

Utilisations Les feuilles ont des propriétés antibactériennes. L'huile extraite des fleurs est utilisée pour panser les plaies, soulager les coups de soleil, les névralgies, l'anxiété et la dépression. Elle peut modifier l'action de certains médicaments, il est donc impératif de consulter un professionnel qualifié.

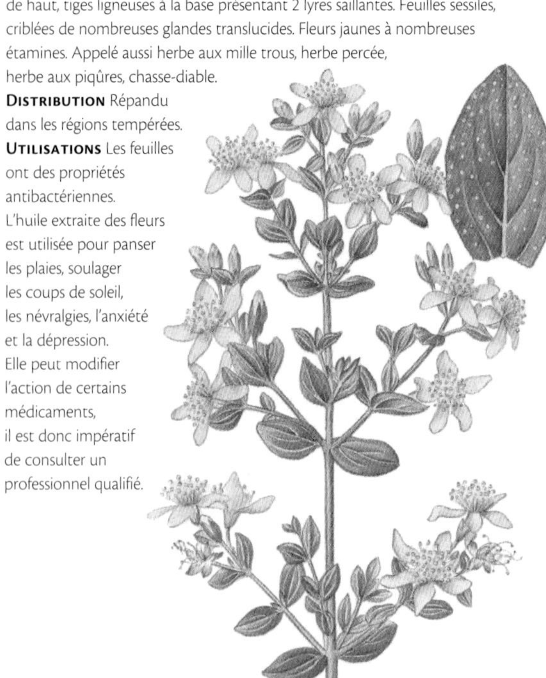

Violette

Viola odorata

Taille et description Plante vivace rampante mesurant jusqu'à 15 cm, à feuilles réniformes en rosettes et stolons allongés radicants. Fleurs éperonnées à long pédoncule, violet foncé ou blanches. Appelée aussi violette de mars, violette des haies, fleur de mars.

Distribution Indigène dans la majeure partie de l'Europe.

Utilisations Les fleurs sont un ingrédient de base de différents parfums et d'un vin. Elles peuvent être cristallisées et utilisées en guise de décorations sur les pâtisseries ou encore consommées fraîches dans les salades et les desserts. La violette contient du salicylate de méthyle, l'un des composants de l'aspirine. Traitement traditionnel des maux de tête. On utilise un sirop préparé avec les fleurs ou une tisane des feuilles pour soulager la toux et les bronchites.

Pensée sauvage

Viola tricolor

Taille et description Plante annuelle, bisannuelle ou vivace, ramifiée, glabre ou duveteuse, mesurant jusqu'à 12 cm. Feuilles inférieures ovales, feuilles supérieures plus étroites. Fleurs jaunes, violettes ou bicolores, inégales. Le pétale inférieur porte un éperon de 6 mm de long. Appelée aussi pensée des champs, violette tricolore, violette sauvage, fleur de la Trinité.

Distribution Majeure partie de l'Europe.

Utilisations Les fleurs peuvent être dégustées dans les salades ou utilisées pour décorer les desserts. La pensée sauvage a été utilisée pour traiter la goutte, l'arthrite et les troubles respiratoires, ainsi que sous forme d'onguent contre l'eczéma et l'acné.

Eucalyptus

Eucalyptus globulus

Taille et description Grand arbre à feuilles persistantes, à croissance rapide, mesurant jusqu'à 40 mètres de haut, à l'écorce gris-brun qui s'exfolie en bandes. Feuilles des jeunes arbres bleuâtres, opposées et serrées à la tige, celle des arbres âgés alternes et pendantes. Fleurs en forme de toupie avec de nombreuses étamines, ni pétale ni sépale. Appelé aussi gommier bleu de Tasmanie.

Distribution Il est originaire d'Australie et planté dans d'autres régions du monde.

Utilisations L'huile d'eucalyptus distillée à partir des feuilles des arbres adultes est un puissant antiseptique. Utilisé en aromathérapie sous forme d'inhalateur comme décongestif ou sous forme de baume à appliquer sur la poitrine pour traiter la toux ainsi que dans des pastilles et bonbons pour la toux.

Piment de la Jamaïque

Pimenta dioica

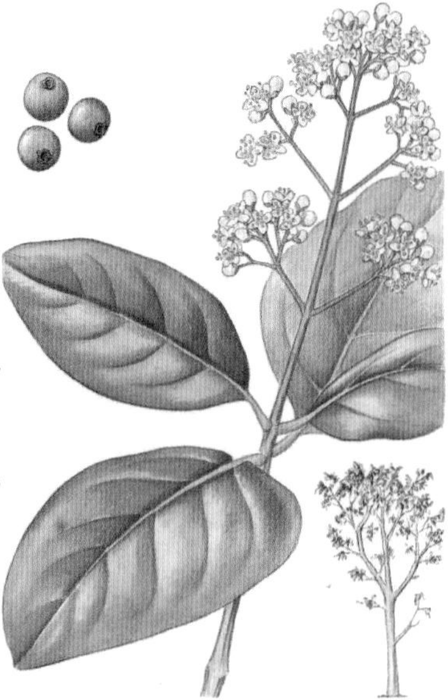

Taille et description
Arbre à feuilles persistantes mesurant jusqu'à 9 mètres de haut. Feuilles coriaces opposées, mesurant jusqu'à 15 cm de long. Fleurs crème et blanches, à 4 pétales ; les fleurs mâles et femelles sont portées en grappes sur des arbres séparés. Les fruits passent du vert au violet à maturité. Appelé aussi poivre de la Jamaïque, piment-giroflée, poivrier-giroflée, poivre aromatique, bois d'Inde.

Distribution
Originaire des Antilles, d'Amérique centrale et du Sud ; cultivé dans de nombreuses régions chaudes du monde.

Utilisations Il est aussi appelé quatre-épices car sa saveur rappelle celles de la cannelle, du clou de girofle et de la noix muscade. Les fruits verts sont récoltés avant maturité, séchés, puis moulus. L'écorce est la partie la plus aromatique. Utilisé dans les pickles, les boissons, les conserves et la pâtisserie, on l'intègre dans de nombreux mélanges d'épices. L'huile extraite des baies est antiseptique.

Giroflier

Syzygium aromaticum

Taille et description
Petit arbre à feuilles persistantes mesurant jusqu'à 15 mètres de haut. Feuilles opposées. Boutons floraux en grappes, d'abord pâles, puis verts et enfin rouge vif. On voit rarement des fleurs sur les arbres cultivés car les boutons floraux non éclos donnent les clous de girofle, une fois séchés. Appelé aussi arbre aux clous.

Distribution Originaire des Moluques, d'Indonésie et cultivé à Zanzibar, à Madagascar et aux Antilles ; toujours planté près de la mer.

Utilisations Les clous de girofle s'utilisent entiers ou réduits en poudre pour épicer de nombreux plats. On les associe notamment aux pommes. L'huile de giroflier est employée en parfumerie, comme répulsif à insectes et en tant qu'analgésique, en particulier contre les maux de dents.

Onagre

Oenothera biennis

Taille et description Plante bisannuelle à racine charnue et tiges feuillées, mesurant jusqu'à 1,5 mètre de haut. Fleurs jaunes à 4 pétales, parfumées et s'ouvrant le soir. Fruits longs et étroits, contenant de nombreuses petites graines. Appelée aussi onagraire, herbe aux ânes.

Distribution Originaire du nord de l'Amérique, elle s'est naturalisée dans la majeure partie de l'Europe.

Utilisations La racine peut se faire bouillir et possède une saveur douce rappelant le panais. Les feuilles, les graines et la racine se consomment soit en infusion, soit sous forme d'huile. Employée pour différents problèmes dont le syndrome prémenstruel, l'hyperactivité, l'hypertension et l'arthrose. Très souvent utilisée en cosmétique.

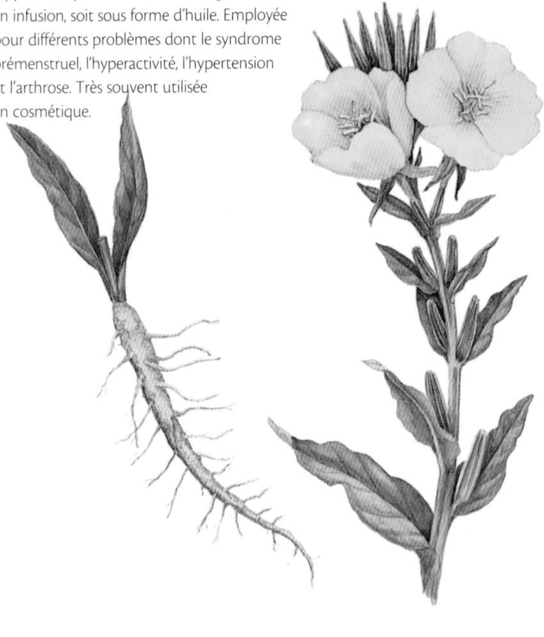

Hamamélis

Hamamelis virginiana

Taille et description Arbuste ou petit arbre à feuilles caduques et écorce grisâtre lisse, mesurant jusqu'à 5 mètres de haut. Feuilles duveteuses velues, plus larges au-dessus du centre, à bord crénelé. Fleurs jaunes, apparaissant en bouquets après la chute des feuilles. Pétales linéaires, très étroits. Appelé aussi noisetier de sorcière.

Distribution Il est originaire d'Amérique du Nord et souvent cultivé en jardin partout ailleurs.

Utilisations On utilisait autrefois une tisane astringente riche en tannins préparée à partir de l'écorce ou des rameaux d'hamamélis pour traiter la dysenterie, le choléra et d'autres maladies. Les extraits distillés et les onguents disponibles aujourd'hui dans le commerce servent surtout pour les contusions et les égratignures superficielles.

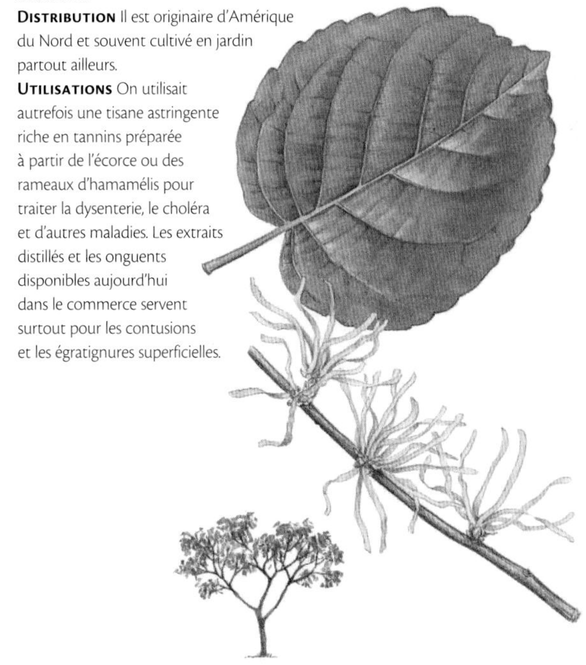

Muscadier et macis

Myristica fragrans

Taille et description Arbre à feuillage persistant mesurant jusqu'à 40 mètres de haut. Feuilles aromatiques et grappes de petites fleurs jaune pâle, mâles et femelles sur des arbres séparés. Grands fruits charnus contenant une amande, la noix muscade, enveloppée dans un tissu rouge, le macis.

Distribution Originaire des Moluques, mais cultivé dans les zones humides au bord de la mer dans d'autres régions, notamment aux Antilles, en Asie du Sud et du Sud-Est.

Utilisations

La noix muscade et le macis sont séchés et vendus séparément. La noix muscade est une épice douce et parfumée que l'on utilise râpée en cuisine, en particulier dans la pâtisserie et les sauces à base de lait ou de crème. On l'emploie comme digestif bien qu'elle soit toxique à forte dose. Le macis possède des usages similaires, mais son goût est plus fort et son odeur plus âcre. Il accompagne très bien les poissons et les bouillons clairs.

Ginseng

Panax ginseng

Taille et description Plante vivace à racine épaisse et verticille unique de feuilles palmées à l'extrémité d'une tige non rameuse de laquelle émerge une ombelle longuement pédonculée de fleurs vert jaunâtre suivies de fruits rouge vif.

Distribution Pousse dans les forêts du nord-est de la Chine.

Utilisations Il est utilisé en médecine chinoise depuis au moins 5 000 ans. Le plus estimé des ginsengs, considéré comme un fortifiant unique dont les racines contiennent des saponines et des stéroïdes, substances chimiques semblables à des hormones. Réputé pour lutter contre les effets affaiblissants du vieillissement, du stress et de la maladie et améliorer l'endurance et la faculté de concentration. Le ginseng sibérien (*Eleutherococcus senticosus*) et le ginseng américain (*Panax quinquefolius*) sont de proches parents et s'utilisent de manière similaire.

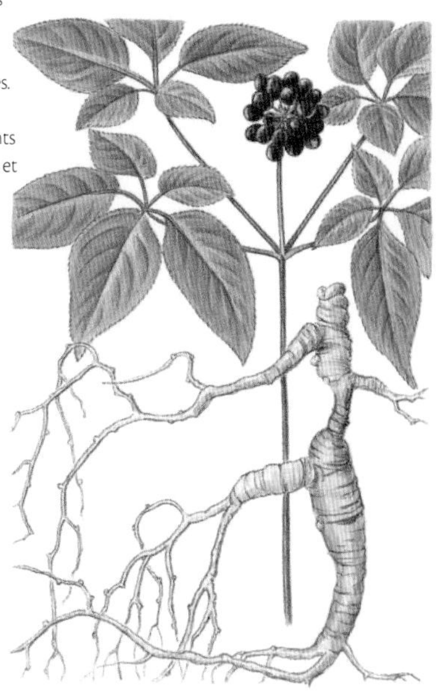

Cerfeuil musqué

Myrrhis odorata

Taille et description Plante vivace légèrement velue mesurant jusqu'à 1,5 mètre de haut, à tiges creuses. Les feuilles dégagent une forte odeur anisée lorsqu'on les écrase. Feuilles bi- ou tripennées, à lobes allongés, lancéolés, dentés et tachetés de blanc. Fruits étroits, oblongs, à fines côtes saillantes. Appelé aussi cerfeuil d'Espagne, gros persil, cerfeuil anisé.

Distribution Plante de montagne originaire des Pyrénées, des Alpes, des Apennins et des Balkans, cultivée et largement naturalisée ailleurs.

Utilisations
Les feuilles au délicat arôme anisé et les graines aromatiques peuvent être ajoutées dans les salades, les yaourts, les soupes légères et les vinaigrettes, ou dégustées seules. Les feuilles ciselées peuvent être cuites avec des fruits acides. C'est un édulcorant naturel, sans danger pour les diabétiques.

Cerfeuil

Anthriscus cerefolium

Taille et description Plante annuelle mesurant jusqu'à 70 cm de haut. Feuilles vert vif, finement divisées et pennées, à lobes profondément découpés. Petites fleurs blanches en ombelles. Fruits mesurant jusqu'à 10 mm, muni d'un bec fin d'environ 4 mm. Appelé aussi cerfeuil cultivé, cerfeuil des jardins.

Distribution Sans doute originaire du sud-est de l'Europe, cultivé à grande échelle et naturalisé ailleurs.

Utilisations Les feuilles à la délicate saveur anisée s'utilisent fraîches dans les salades, les plats de légumes, les soupes, avec de la volaille, des œufs, du poisson. Il est conseillé de les ajouter au dernier moment pour préserver leur saveur. Elles sont riches en vitamine C et minéraux. En infusion, elles stimulent la digestion et soulagent les rhumes chroniques.

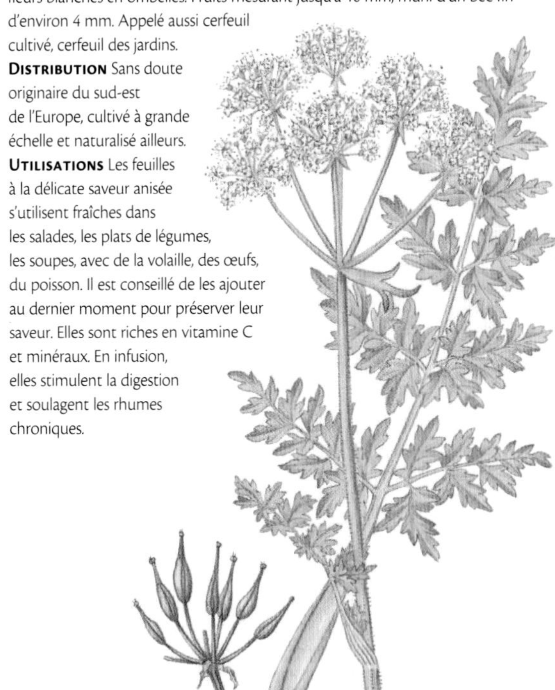

Cerfeuil sauvage

Anthriscus sylvestris

Taille et description Plante bisannuelle mesurant jusqu'à 1 mètre de haut, à tiges creuses dressées. Feuilles bi- ou tripennées. Fleurs blanches, en grappes d'ombelles aplaties. Appelé aussi anthrisque sauvage, cerfeuil des bois.

Distribution Commun en Europe du Nord et centrale.

Utilisations Les feuilles jeunes possèdent un goût délicatement aromatique avec une note anisée. On peut les ajouter dans les salades ou les utiliser comme aromate. Risque de confusion avec des plantes toxiques d'apparence similaire, notamment la ciguë.

Coriandre

Coriandrum sativum

Taille et description
Plante annuelle à tiges striées, mesurant jusqu'à 70 cm de haut. Feuilles trilobées, bipennées ou laciniées. Fruits brun-rouge durs, les deux moitiés ne se séparent pas facilement.

Distribution Plante native d'Afrique du Nord et d'Asie du Sud-Ouest, répandue par la culture ou naturalisée dans d'autres régions.

Utilisations Plante ancienne connue depuis 1500 av. J.-C. environ. Les feuilles inférieures fraîches sont utilisées pour garnir les plats et dans les currys. Les graines mûres entrent dans la composition de nombreuses préparations sucrées comme salées, ainsi que du garam masala. La coriandre stimule l'appétit et facilite la digestion.

Anis vert

Pimpinella anisum

Taille et description Plante annuelle très aromatique mesurant jusqu'à 50 cm de haut. Feuilles inférieures réniformes, feuilles centrales pennées à larges lobes, feuilles supérieures bi- ou tripennées à lobes étroits. Fleurs blanches, suivies par des fruits ovoïdes ou allongés, finement nervés. Appelé aussi anis musqué, anis officinal et pimpinelle.

Distribution En Méditerranée et cultivé dans l'ouest de l'Asie.

Utilisations Les graines à la saveur de réglisse caractéristique agrémentent divers plats tels que les currys, les soupes, les gâteaux, les pâtisseries et les conserves au vinaigre. Elles font une tisane relaxante qui pourrait soulager la toux sèche. L'anis est utilisé dans des boissons comme le pastis en France ou le raki en Turquie, dans des dentifrices et des produits de beauté.

Égopode podagraire

Aegopodium podagraria

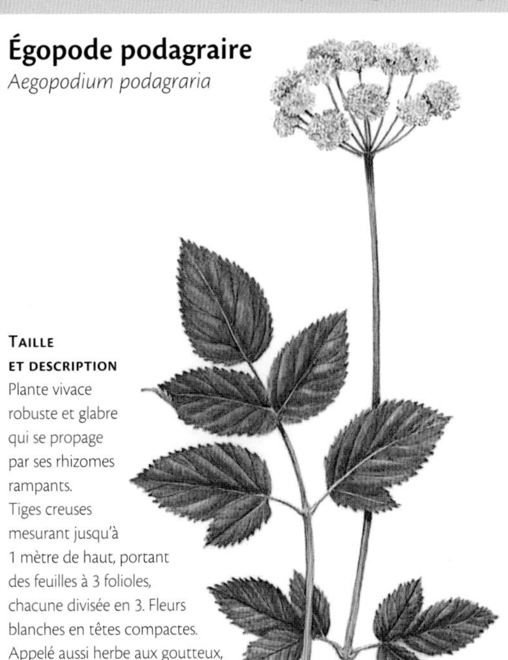

TAILLE ET DESCRIPTION Plante vivace robuste et glabre qui se propage par ses rhizomes rampants. Tiges creuses mesurant jusqu'à 1 mètre de haut, portant des feuilles à 3 folioles, chacune divisée en 3. Fleurs blanches en têtes compactes. Appelé aussi herbe aux goutteux, podagraire, petite angélique ou herbe de Saint-Gérard.

DISTRIBUTION Originaire d'Europe et d'Asie, cette espèce est invasive dans de nombreuses autres régions.

UTILISATIONS Les jeunes pousses feuillées récoltées juste avant la floraison possèdent une saveur piquante agréable et peuvent être utilisées dans les soupes, les salades ou cuites comme des épinards. Préconisée traditionnellement contre l'arthrose, les rhumatismes et la goutte. On prépare une infusion ou un cataplasme avec les feuilles.

Aneth

Anethum graveolens

Taille et description Plante annuelle légèrement bleuâtre, dégageant un fort parfum, mesurant jusqu'à 50 cm de haut, très proche du fenouil, à feuilles plumeuses très découpées et fleurs jaunes. Fruits bordés d'une aile pâle. Appelé aussi fenouil bâtard, faux anis.

Distribution Probablement originaire d'Asie du Sud-Ouest, cultivé à grande échelle et naturalisé dans de nombreuses régions tempérées.

Utilisations Herbe culinaire très ancienne. Les feuilles s'utilisent dans les plats de poisson, les soupes, les ragoûts et les sauces à la crème. Les graines aromatiques au goût plus fort sont employées pour aromatiser les conserves au vinaigre, les vinaigres et les légumes. L'huile d'aneth est un sédatif doux et l'eau d'aneth, obtenue par infusion des graines écrasées, stimulerait l'appétit et apaiserait les coliques.

Fenouil

Foeniculum vulgare

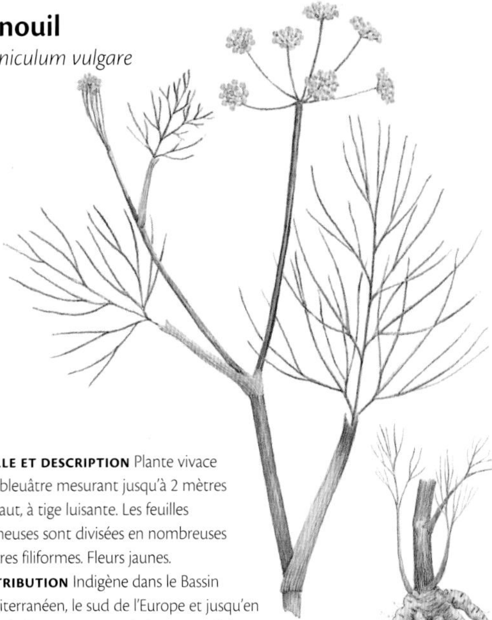

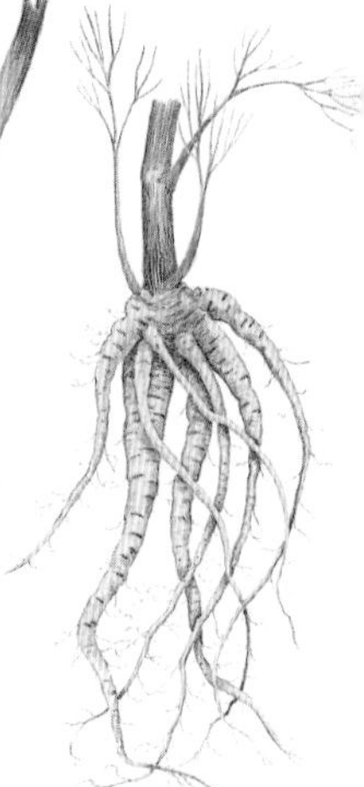

TAILLE ET DESCRIPTION Plante vivace vert bleuâtre mesurant jusqu'à 2 mètres de haut, à tige luisante. Les feuilles plumeuses sont divisées en nombreuses lanières filiformes. Fleurs jaunes.

DISTRIBUTION Indigène dans le Bassin méditerranéen, le sud de l'Europe et jusqu'en Grande-Bretagne au nord, s'est naturalisé dans de nombreuses autres zones.

UTILISATIONS Les bases enflées des feuilles jeunes s'utilisent comme légumes. Les feuilles finement ciselées sont délicieuses dans les salades avec des poissons gras, dans les farces et dans les soupes. Les graines s'utilisent dans les pains, les sauces et les plats de poisson. Une infusion de graines ou de racines peut être prise pour traiter des affections bénignes telles que la toux, la colique ou le manque d'appétit.

Cumin

Cuminum cyminum

Taille et description Plante annuelle élancée mesurant jusqu'à 50 cm de haut. Feuilles divisées en lobes filiformes. Fleurs blanches ou roses, réunies par 3 à 5 dans chacune des petites ombelles simples qui forment l'ombelle composée. Fruits finement striés mesurant 5 mm de long.

Distribution Indigène en Afrique du Nord et en Asie du Sud-Ouest, cultivé à grande échelle dans d'autres régions.

Utilisations

Les graines entières ou moulues sont utilisées dans la cuisine asiatique et orientale, elles entrent dans la composition de nombreux mélanges d'épices. Le cumin agrémente les currys, les plats de volaille, d'agneau ou de bœuf, les soupes et les viandes séchées. Proche parent du carvi, on l'utilise de manière similaire contre les troubles digestifs.

Céleri, ache des marais

Apium graveolens

Taille et description Plante bisannuelle mesurant jusqu'à 1 mètre de haut. Feuilles inférieures pennées, feuilles supérieures trifoliées. Fleurs blanc verdâtre, suivies par des fruits ovoïdes. Appelée aussi, céleri sauvage, ache puante.

Distribution Europe, Asie, et Afrique du Nord.

Utilisations Le céleri cultivé (*A. g. dulce*) au goût moins âcre est plus communément utilisé. Les feuilles jeunes peuvent être ajoutées dans les salades, les graines dans les plats en sauce. Les graines sont mélangées au sel pour confectionner le sel de céleri. Les tiges feuillues, enflées et blanchies de la forme cultivée sont le légume que nous avons l'habitude de consommer. A la réputation de soulager l'arthrose, la goutte, la rétention d'eau et les infections fongiques.

Persil

Petroselinum crispum

Taille et description Plante bisannuelle à racine développée, mesurant jusqu'à 40 cm de haut, à tiges vigoureuses, bien dressées. Feuilles tripennées, vert brillant. Fleurs jaunes.
Distribution Probablement originaire du sud-est de l'Europe ou d'Asie de l'Ouest et cultivé et naturalisé dans toutes les régions tempérées.
Utilisations Les feuilles frisées ou frangées de certains cultivars sont très appréciées pour décorer les plats. On les recommande également pour rafraîchir l'haleine après la consommation d'ail. Elles sont une bonne source de vitamine C et de fer. Le persil a la réputation d'être bénéfique en cas de troubles urinaires et de rétention d'eau. On l'utilise pour panser les piqûres d'insecte et les blessures.

Carvi

Carum carvi

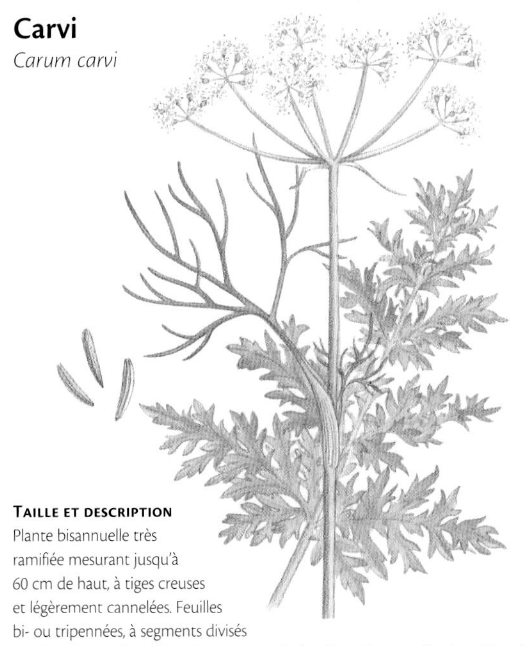

Taille et description
Plante bisannuelle très ramifiée mesurant jusqu'à 60 cm de haut, à tiges creuses et légèrement cannelées. Feuilles bi- ou tripennées, à segments divisés en lobes étroits. Fleurs blanches ou roses. Fruits ellipsoïdes et striés. Appelé aussi cumin des prés.

Distribution Pousse dans les zones tempérées d'Europe, d'Afrique et d'Asie, introduit dans de nombreuses régions.

Utilisations Plante ancienne cultivée à grande échelle aujourd'hui. Utilisées comme aromates, les graines stimulent aussi l'appétit, on les emploie beaucoup en cuisine. Les feuilles ont une saveur similaire à celle de l'aneth et peuvent être ajoutées dans les salades. Les racines se font cuire comme un légume. Utilisé dans des spécialités pharmaceutiques contre les troubles digestifs.

Angélique officinale, archangélique

Angelica archangelica

TAILLE ET DESCRIPTION Plante bisannuelle rustique mesurant jusqu'à 3 mètres de haut, à tiges vertes creuses très robustes et côtelées. Fleurs verdâtres. Les fruits présentent de larges ailes ondulées. Appelée aussi angélique vraie, herbe aux anges, herbe du Saint-Esprit.

DISTRIBUTION Pousse de l'Europe du Nord et du Groenland à l'Asie centrale.

UTILISATIONS Surtout connue pour les confiseries obtenues à partir des tiges confites. Très forte teneur en sucre. Les feuilles fraîches s'ajoutent dans les soupes, les plats de poisson et les fruits pochés, les graines sont utilisées pour aromatiser des liqueurs comme la Chartreuse et la Bénédictine. Les tisanes préparées avec les graines ou les racines séchées permettraient de lutter contre l'anémie, les rhumes, l'asthme et d'autres affections respiratoires. Utilisée comme stimulant de l'appareil digestif en phytothérapie. La plante ne doit pas être consommée à très forte dose au risque de stimuler puis de paralyser le système nerveux.

Livèche

Levisticum officinale

Taille et description
Plante vivace robuste à l'odeur forte, mesurant jusqu'à 2,5 mètres de haut. Feuilles, 2 ou 3 fois découpées, à lobes profondément et irrégulièrement dentés. Fleurs jaune verdâtre. Fruits à côtes ailées, mesurant jusqu'à 7 mm de long. Appelée aussi ache de montagne, céleri bâtard.

Distribution Originaire d'Iran, cultivée et naturalisée dans d'autres régions du monde.

Utilisations Saveur forte rappelant le céleri. Les feuilles et les graines jeunes peuvent être ajoutées dans de nombreux plats, notamment végétariens, les graines servent dans les pains et d'autres préparations salées. Employée également dans des liqueurs à base de plantes. Utilisée en cas de problèmes digestifs et pour réduire la rétention d'eau.

Livèche d'Écosse

Ligusticum scoticum

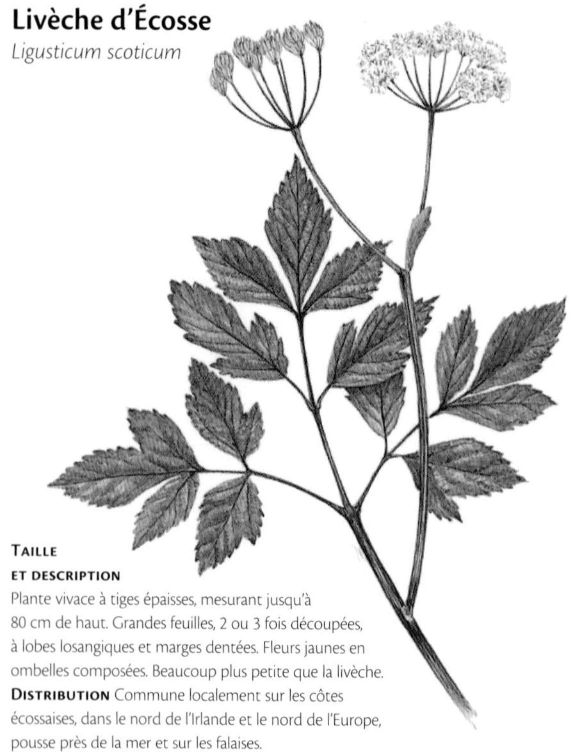

Taille et description Plante vivace à tiges épaisses, mesurant jusqu'à 80 cm de haut. Grandes feuilles, 2 ou 3 fois découpées, à lobes losangiques et marges dentées. Fleurs jaunes en ombelles composées. Beaucoup plus petite que la livèche.

Distribution Commune localement sur les côtes écossaises, dans le nord de l'Irlande et le nord de l'Europe, pousse près de la mer et sur les falaises.

Utilisations Les feuilles possèdent un fort goût de céleri. Elles sont idéales pour renforcer la saveur des soupes de légumes et peuvent être enroulées autour des rôtis de bœuf avant cuisson. On en consommait autrefois en Écosse pour prévenir le scorbut.

Maceron

Smyrnium olusatrum

Taille et description Plante bisannuelle à forte odeur mesurant jusqu'à 1,25 mètre de haut. Feuilles vert foncé, brillantes et divisées en 3, chaque segment étant composé de 3 lobes à bord denté. Fleurs jaunes, comptant jusqu'à 15 ombelles simples formant une ombelle composée. Appelé aussi maceron potager, grande ache, persil de cheval, gros persil de Macédoine.

Distribution S'est naturalisé et est devenu commun sur les côtes du sud de la Grande-Bretagne et dans d'autres régions d'Europe.

Utilisations Doit être cueilli avant que les fleurs ne s'ouvrent. Les tiges peuvent être cuites à l'eau ou à la vapeur pendant quelques minutes. L'odeur anisée disparaît à la cuisson et les tiges peuvent se déguster comme des asperges. Les feuilles jeunes sont délicieuses dans les salades ou ciselées dans une sauce béchamel.

Ferula assa-foetida

Ferula assa-foetida

TAILLE ET DESCRIPTION

Plante vivace jaunâtre à l'odeur épouvantable mesurant jusqu'à 2 mètres de haut, à tiges cannelées vigoureuses et racines épaisses. Feuilles mesurant jusqu'à 35 cm de long, profondément divisées 2 à 4 fois. Fleurs jaune verdâtre pâle, en grandes ombelles composées, suivies de fruits mesurant 1,2 cm de long. Racines épaisses et pulpeuses.

DISTRIBUTION

Originaire d'Iran, également cultivée en Inde et en Afghanistan.

UTILISATIONS

La résine gommeuse et cireuse extraite de la racine et de la tige, que l'on appelle aussi ase fétide, peut provenir de deux espèces similaires. Condiment essentiellement utilisé dans les cuisines perse, afghane et indienne, en particulier dans les plats végétariens. La plante dégage une odeur forte en raison de la présence des composés soufrés, mais elle disparaît à la cuisson. Utilisée pour lutter contre les problèmes digestifs et faire baisser la tension artérielle, ainsi qu'en médecine vétérinaire.

Grand conopode

Conopodium majus

Taille et description Plante vivace presque glabre mesurant jusqu'à 25 cm de haut, à tiges élancées et feuilles supérieures finement divisées. Fleurs blanches, de 6 à 12 ombelles disposées dans une même ombelle composée. Tubercule racinaire marron foncé irrégulier. Appelé aussi conopode dénudé.

Distribution Commun dans l'ouest de l'Europe et jusqu'en Italie à l'est.

Utilisations Le tubercule possède un goût rappelant la noisette. Il peut être pelé, lavé et mangé cru. Les racines réduites en poudre feraient un bon remède contre la toux.

Gaulthérie couchée

Gaultheria procumbens

Taille et description Arbrisseau rampant à feuilles persistantes mesurant jusqu'à 15 cm. Feuilles épaisses, coriaces, foncées et brillantes. Fleurs blanches, cireuses et pendantes, en forme de clochettes. Baies globulaires, rouge vif, elles persistent tout l'hiver. Appelée aussi thé des bois, thé du Canada, wintergreen.

Distribution Originaire du nord et de l'est de l'Amérique du Nord.

Utilisations Les feuilles odorantes contiennent du méthylsalicylate, substance proche de l'aspirine qui peut s'avérer utile contre les rhumatismes. On l'extrait sous forme d'huile, la teneur en huile des feuilles gelées, qui virent au violet, serait plus élevée que celle des feuilles non gelées. L'huile naturelle a maintenant été largement remplacée par des composés synthétiques.

Myrtille

Vaccinium myrtillus

Taille et description Petit arbuste à feuilles persistantes, très ramifié, à rameaux verts. Feuilles vert vif et ovales, à bord légèrement denté. Fleurs globulaires, à pétales rose verdâtre. Les fruits sont des baies globuleuses bleu-noir. Appelée aussi airelle noire, brimbelle, raisin des bois.

Distribution Pousse dans toutes les régions tempérées et subarctiques.

Utilisations Les fruits très sucrés, à teneur élevée en vitamine C, peuvent être mangés crus et dans les régions où ils sont suffisamment abondants, on les accommode en tartes, confitures, gelées et vins. Aurait la propriété d'améliorer la vision nocturne et d'être bénéfique en cas de troubles de la vision tels que la dégénérescence maculaire.

Canneberge

Vaccinium oxycoccos

Taille et description Petit arbuste à feuilles persistantes, port étalé et feuilles vert foncé, mesurant jusqu'à 12 cm de haut. Les fleurs possèdent une corolle rouge rosâtre profondément divisée en 4 lobes. Les fruits globuleux sont des baies rouges. Appelée aussi cranberry ou grande airelle rouge d'Amérique du Nord.

Distribution Pousse dans les régions froides de l'hémisphère Nord.

Utilisations Les fruits sont très acides et presque immangeables crus, mais dans les régions où ils sont abondants, on les utilise pour faire des confitures et des gelées. Préconisée en cas de cystite et d'infections urinaires à répétition.

Gentiane jaune

Gentiana lutea

Taille et description Plante vivace robuste à port dressé, mesurant jusqu'à 1,20 mètre de haut. Grandes feuilles opposées, côtelées et embrassantes. Celles près de la tige forment une rosette. Fleurs jaunes en corolle divisée en 5 à 9 lobes. Appelée aussi grande gentiane, jansonna, quinquina indigène.

Distribution Confinée aux montagnes d'Europe centrale et du Sud où elle pousse dans les pâtures alpines et subalpines.

Utilisations Toutes les gentianes contiennent des principes très amers qui, pour cette espèce, sont extraits des racines séchées. Autrefois considérés comme un remède universel, les principes amers peuvent être bénéfiques contre divers troubles digestifs. À proscrire pendant la grossesse ou en cas d'hypertension.

Jasmin blanc

Jasminum officinale

Taille et description Liane à feuilles caduques ou semi-persistantes mesurant jusqu'à 10 mètres de haut. Feuilles opposées, pennées, composées de 5 à 7 folioles. Fleurs en général blanches, mais parfois tachetées de violet, parfumées et tubulaires. Appelé aussi jasmin commun, jasmin officinal.

Distribution Originaire d'Asie du Sud-Ouest. Introduit en Europe au XVIe siècle et aujourd'hui cultivé à grande échelle, notamment comme plante de jardin.

Utilisations L'huile de jasmin est un parfum cher et puissant obtenu à partir des fleurs. Elle est utilisée en parfumerie et en aromathérapie pour traiter la dépression et comme relaxant. Le thé au jasmin est un sédatif doux qui peut soulager les maux de tête. L'huile essentielle ne doit pas être employée en usage interne et les baies sont toxiques.

Trèfle d'eau

Menyanthes trifoliata

Taille et description Plante aquatique mesurant de 12 à 35 cm de haut. Feuilles divisées en groupes de 3 folioles et portées au-dessus de la surface de l'eau. Fleurs roses et blanches à pétales couverts de cils crépus, en grappes dressées. Appelé aussi ményanthe, trèfle des marais.

Distribution Indigène dans les eaux stagnantes, les marais et marécages dans la majeure partie de l'hémisphère Nord tempéré.

Utilisations Utilisé pour aromatiser des bières et d'autres boissons alcoolisées. Plante tonique et purgative traditionnelle, ses feuilles et son rhizome contiennent des composés amers similaires à ceux de la gentiane. Préconisé pour diverses affections, le ményanthe stimule l'appétit, mais peut entraîner des vomissements à forte dose.

Aspérule odorante

Galium odoratum

Taille et description Plante vivace odoriférante élancée, mesurant jusqu'à 25 cm de haut, à rhizomes rampants et tiges dressées. Feuilles en général verticillées par 6-9 à marges criblées de minuscules dents pointées vers l'avant. Fleurs blanches et parfumées formant des grappes denses. Appelée aussi thé suisse, herbe aux étoiles, reine des bois.

Distribution Dans les forêts de la majeure partie de l'Europe, du nord de l'Afrique et de l'Asie.

Utilisations Les feuilles et les fleurs font une tisane agréable et s'utilisent pour aromatiser des boissons. Les fleurs peuvent être dégustées dans des salades. Plante utilisée traditionnellement pour joncher les sols, elle contient de la coumarine, le composé qui donne au foin fraîchement fauché son odeur caractéristique. Certains médicaments utilisés pour traiter les hémorroïdes et prévenir le risque de thrombose en contiennent.

Gaillet jaune

Galium verum

Taille et description Plante vivace à stolons rampants et tiges quadrangulaires très ramifiées, mesurant jusqu'à 60 cm de haut. Feuilles très étroites, par 8-12 en verticilles. Fleurs jaune vif, quadrilobées, en panicules dressées. Appelé aussi caille-lait jaune.

Distribution Indigène dans les prairies de la majeure partie de l'Europe et de l'Asie de l'Ouest.

Utilisations Utilisé autrefois pour garnir les matelas, bien que la plupart de ses usages traditionnels fussent liés au caillage du lait, d'où son nom. Il serait moins efficace avec le lait moderne, mais il peut néanmoins encore être utilisé pour donner une belle couleur jaune au fromage.

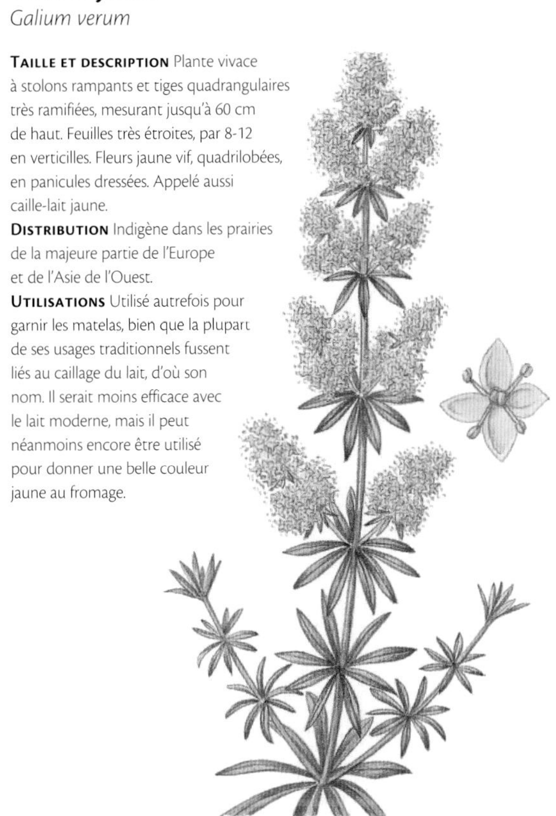

Gratteron

Galium aparine

Taille et description Plante annuelle hérissée d'aiguillons, qui se fraye un chemin dans la végétation environnante. Les tiges carrées mesurent jusqu'à 1,5 mètre, avec des verticilles de 6 à 9 feuilles. Minuscules fleurs blanchâtres quadrilobées. Fruits tuberculeux composés de 2 globes attachés recouverts de poils raides et crochus. Appelé aussi gaillet gratteron, gaillet accrochant.

Distribution Indigène dans toute l'Europe ainsi que dans le nord et l'ouest de l'Asie.

Utilisations Une infusion préparée à partir des parties aériennes séchées peut être utilisée comme diurétique pour purifier le système lymphatique et réduire les inflammations des glandes. Peut aussi avoir un effet bénéfique sur l'eczéma, le psoriasis, les irritations, les plaies et les pellicules.

Quinquina jaune

Cinchona calisaya

Taille et description Arbre à feuilles persistantes mesurant jusqu'à 12 mètres de haut. Feuilles ovales à oblongues. Petites fleurs odorantes, roses, en grappes.

Distribution Originaire de l'est des Andes, introduit en Asie où il pousse dans des plantations.

Utilisations Un agent de saveur utilisé dans des boissons comme le Schweppes®. L'écorce contient un grand nombre d'alcaloïdes, en particulier de la quinine, utilisés pour lutter contre la fièvre et les problèmes cardiaques. C'est le traitement le plus efficace contre la malaria. Peut être toxique et en tant que remède ne doit être utilisé que sous surveillance médicale.

Pulmonaire officinale

Pulmonaria officinalis

Taille et description Plante vivace velue mesurant jusqu'à 30 cm de haut, à grappes de feuilles caulinaires sessiles, un peu décurrentes et tachées de blanc et de feuilles radicales spatulées. Fleurs roses et bleues, tubulaires, en grappes terminales sur des tiges feuillées. Appelée aussi grande pulmonaire, herbe aux poumons.

Distribution Pousse surtout en Europe centrale et du Sud, au nord jusqu'en Grande-Bretagne et en Suède.

Utilisations En raison de la ressemblance supposée des feuilles avec les poumons, une infusion des feuilles était autrefois utilisée comme remède pour les douleurs pulmonaires. Cet usage traditionnel a été confirmé, les feuilles contenant un mucilage apaisant et de la silice qui pourrait restaurer l'élasticité des poumons.

Consoude officinale

Symphytum officinale

Taille et description Plante vivace à poils raides et port dressé, mesurant jusqu'à 1,20 mètre de haut. Feuilles basales ovales et velues, feuilles caulinaires plus courtes et souvent décurrentes. Fleurs violettes, rosâtres ou blanches, tubulaires ou en clochettes, en grappes spiralées. Appelée aussi grande consoude, herbe à la coupure, herbe aux charpentiers.

Distribution Pousse dans la majeure partie de l'Europe.

Utilisations Aurait des vertus cicatrisantes en raison de la présence d'allantoïne. Un cataplasme préparé avec les feuilles ou les racines pourrait être efficace en cas d'hématomes, d'ulcères et de brûlures. Ne doit pas être employée en usage interne. Une utilisation prolongée aurait des effets négatifs sur le foie.

Bourrache

Borago officinalis

Taille et description Plante annuelle à port dressé, hérissée de poils raides, mesurant jusqu'à 60 cm de haut. Feuilles basales pétiolées, feuilles supérieures sessiles et embrassantes. Fleurs bleues à 5 pétales pointus disposés en étoile. Les étamines noires forment un cône central.

Distribution Indigène en Europe du Sud, cultivée à grande échelle et naturalisée ailleurs.

Utilisations Les feuilles jeunes ont un goût de concombre et peuvent être ajoutées dans les salades et les boissons. Les fleurs peuvent accompagner les salades ainsi que les plats salés et sucrés. On peut également les faire cristalliser pour décorer les gâteaux. Cette plante est utilisée depuis longtemps comme plante médicinale, notamment sous forme de tisane pour soulager les rhumes et la dépression.

Verveine officinale

Verbena officinalis

Taille et description Plante vivace à port dressé mesurant jusqu'à 60 cm de haut, à tiges dures et grêles, en F. Feuilles opposées à lobes pennés. Fleurs rose pâle, légèrement bilabiées, en épis longs et fins. Appelée aussi herbe sacrée, herbe aux sorciers, herbe à tous maux, herbe de sang.

Distribution Pousse de l'Europe à l'Afrique du Nord et jusqu'à l'Himalaya.

Utilisations Longue tradition d'utilisation médicinale et magique. La tisane préparée avec les parties aériennes de la verveine serait bénéfique en cas de neurasthénie, de maux de tête et de migraine. Serait également efficace contre les troubles hépatiques et de la vésicule biliaire.
À proscrire pendant la grossesse.

Verveine odorante

Aloysia citrodora

Taille et description Arbuste à feuilles caduques mesurant jusqu'à 8 mètres de haut sous les tropiques mais beaucoup plus petit dans les régions plus froides. Feuilles étroites, vert jaunâtre, verticillées par 3. Fleurs lavande pâle, bilabiées et regroupées en panicules terminales. Appelée aussi verveine citronnelle, verveine du Pérou.
Distribution Indigène en Amérique du Sud et cultivée à grande échelle dans le Bassin méditerranéen et d'autres régions de l'Ancien Monde.
Utilisations Utilisées avec modération, les jeunes feuilles fraîches donnent une saveur citronnée aux fruits, aux gelées de pommes, aux farces et aux volailles. L'huile essentielle extraite de la plante est utilisée dans la fabrication de parfums et de liqueurs. Les parties aériennes dégagent une forte odeur citronnée lorsqu'on les écrase et, préparées en tisane, facilitent la digestion. Permettrait de lutter contre l'insomnie, la dépression et la léthargie.

Basilic commun

Ocimum basilicum

Taille et description Plante vivace ou annuelle dans les régions froides, mesurant jusqu'à 50 cm de haut. Feuilles opposées glabres et légèrement charnues. Fleurs blanches ou teintées de mauve, bilabiées, en verticilles, formant un épi lâche. De nombreuses variétés existent, notamment à feuilles pourpres. Appelé aussi basilic romain, basilic grand vert.

Distribution Originaire d'Asie tropicale et cultivée dans de nombreuses régions du monde.

Utilisations Les feuilles jeunes sont l'ingrédient principal du pesto et peuvent être utilisées dans de nombreux autres plats. Elles se marient à merveille avec les tomates. Cultivé à l'intérieur, le basilic éloigne les insectes.

C'est l'une des 60 espèces de basilic aux divers parfums notamment de citron vert, de citron, de cannelle, de thym, d'anis et de camphre.

Scutellaire casquée

Scutellaria lateriflora

Taille et description Plante vivace mesurant jusqu'à 1 mètre de haut. Feuilles opposées, ovales à lancéolées, à bord denté. Fleurs bleues, bilabiées, en épis axillaires unilatéraux. Chaque calice présente un rabat caractéristique en forme de casque sur la partie supérieure.

Distribution Elle est originaire d'Amérique du Nord.

Utilisations Utilisée à faible dose pour lutter contre l'insomnie, la dépression et d'autres troubles nerveux (toujours consulter un phytothérapeute professionnel).

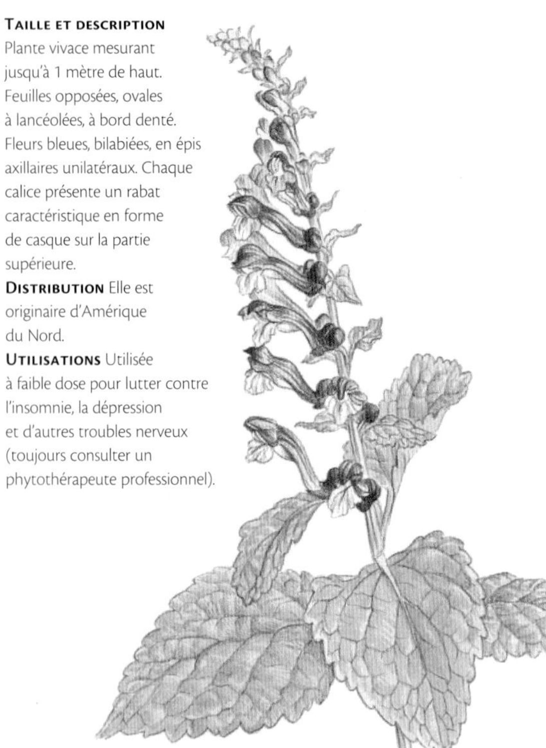

Marrube blanc

Marrubium vulgare

TAILLE ET DESCRIPTION

Plante vivace blanche duveteuse, mesurant jusqu'à 60 cm de haut. Les feuilles sont opposées, arrondies et froissées. Fleurs blanches à lèvre supérieure profondément bifide et calice à 10 minuscules dents crochues sur la bordure.

DISTRIBUTION

Indigène dans toute l'Europe et en Afrique du Nord, jusqu'en Asie centrale.

UTILISATIONS

A été utilisé contre les problèmes cardiaques, hépatiques et digestifs et comme substitut de la quinine pour traiter la malaria. Est aujourd'hui surtout employé pour les troubles respiratoires. On vend des bonbons à base de marrube contre la toux. Les parties aériennes fournissent des principes actifs et une huile volatile. On peut les consommer en infusion chaude ou froide ou sous forme de sirop. À proscrire pendant la grossesse.

Agripaume

Leonurus cardiaca

Taille et description Plante vivace à l'odeur très forte, mesurant jusqu'à 1,20 mètre de haut. Feuilles opposées, découpées en 3 à 7 lobes dentés qui rayonnent depuis la base de la feuille. Fleurs blanches ou rose pâle, à lèvres supérieures densément velues, en verticilles compacts. Appelée aussi cardiaire, herbe aux tonneliers, queue-de-lion.

Distribution Originaire d'Asie centrale, pousse aujourd'hui partout, rare en Méditerranée.

Utilisations Utilisée essentiellement pour les troubles menstruels, l'anxiété post-partum ou liée à la ménopause, ainsi que pour les troubles cardiaques. La plante en fleurs donne une tisane amère. On la consomme habituellement sous forme de sirop ou de comprimé. Plante à proscrire impérativement pendant la grossesse.

Mélisse officinale

Melissa officinalis

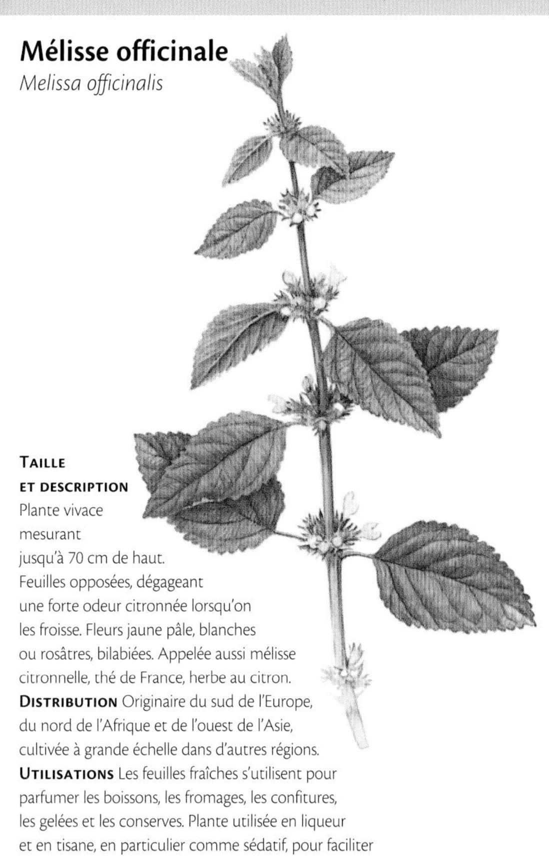

Taille et description Plante vivace mesurant jusqu'à 70 cm de haut. Feuilles opposées, dégageant une forte odeur citronnée lorsqu'on les froisse. Fleurs jaune pâle, blanches ou rosâtres, bilabiées. Appelée aussi mélisse citronnelle, thé de France, herbe au citron.

Distribution Originaire du sud de l'Europe, du nord de l'Afrique et de l'ouest de l'Asie, cultivée à grande échelle dans d'autres régions.

Utilisations Les feuilles fraîches s'utilisent pour parfumer les boissons, les fromages, les confitures, les gelées et les conserves. Plante utilisée en liqueur et en tisane, en particulier comme sédatif, pour faciliter la digestion et traiter les troubles nerveux et les infections virales.

Bétoine

Stachys officinalis

Taille et description Plante vivace mesurant jusqu'à 50 cm de haut, à tiges peu feuillées et rosette basale bien développée, composée de feuilles oblongues longuement pétiolées. Verticilles de fleurs en épis denses, corolles violet rougeâtre vif et bilabiées, à lèvre supérieure longue. Appelée aussi épiaire officinale, bétoine vulgaire, bétoine pourprée, tabac des gardes.

Distribution Elle est originaire d'Europe.

Utilisations

Plante médicinale ancienne très longtemps estimée pour ses pouvoirs protecteurs et guérisseurs supposés, mais n'est plus très utilisée aujourd'hui. On employait traditionnellement un cataplasme de feuilles fraîches pour nettoyer les blessures. Les feuilles séchées étaient utilisées pour provoquer de violents éternuements et déboucher le nez. Utilisée aujourd'hui surtout dans des mélanges à fumer à base de plantes.

Hysope officinale

Hyssopus officinalis

Taille et description Plante vivace aromatique ou sous-arbrisseau mesurant jusqu'à 60 cm de haut, à tiges ligneuses à la base. Feuilles étroites et opposées. Verticilles lâches de fleurs bilabiées bleues ou violettes portées sur des épis élancés à l'extrémité des tiges.
Distribution Indigène en Europe du Sud, en Afrique du Nord et en Asie de l'Ouest, cultivée ailleurs.
Utilisations Les fleurs peuvent être consommées dans les salades. L'huile volatile contenue dans la plante contient de la marrubine, le principe amer également présent dans le marrube blanc, et les deux plantes sont utilisées de manière similaire en phytothérapie. À proscrire pendant la grossesse.

Sarriette

Satureja hortensis

Taille et description Plante annuelle mesurant jusqu'à 25 cm de haut. Feuilles étroites et opposées. Fleurs blanches, roses ou lilas, en verticilles peu fleuris. Le calice et la corolle sont bilabiés, le calice à dents inférieures légèrement plus longues que les supérieures. Appelée aussi herbe de Saint-Julien, poivrette.

Distribution Originaire du Bassin méditerranéen et cultivée à grande échelle.

Utilisations Herbe culinaire au goût fort, piquant et poivré, utilisée avec les légumes verts, les légumes secs et les viandes. Soulagerait la douleur causée par les piqûres d'insecte lorsqu'on la frotte directement dessus. Préparée en tisane, elle stimule l'appétit et facilite la digestion.

Sauge officinale

Salvia officinalis

TAILLE ET DESCRIPTION
Arbrisseau aromatique grisâtre mesurant jusqu'à 60 cm de haut, à rameaux laineux. Feuilles opposées, ridées sur le dessus et densément velues sur le dessous. Fleurs bleu-violet ou blanches, bilabiées. Appelée aussi grande sauge, herbe sacrée.

DISTRIBUTION
Originaire de l'est et de l'ouest du Bassin méditerranéen, cultivée à grande échelle dans d'autres régions du monde.

UTILISATIONS Prolonge la durée de conservation de la viande et des plats cuisinés. Les feuilles s'ajoutent dans les charcuteries, les conserves au vinaigre, les fromages et le miel. Sur le plan médicinal, elle est moins utilisée qu'autrefois, mais son efficacité est aujourd'hui reconnue contre les rhumes et les infections de la bouche et de la gorge. L'huile essentielle est employée pour aromatiser les vins et les liqueurs, ainsi que dans les parfums. L'huile essentielle ou la plante séchée peuvent servir d'antimites.

Origan

Origanum vulgare

Taille et description Plante vivace aromatique assez ligneuse, souvent teintée de violet, mesurant jusqu'à 90 cm de haut. Feuilles opposées et pétiolées. Fleurs blanches ou rose violacé, bilabiées, en petits épis disposés en panicules terminales serrées planes. Appelé aussi marjolaine sauvage, marjolaine bâtarde, thé rouge.

Distribution Originaire de la Méditerranée et du Moyen-Orient, cultivé à grande échelle dans d'autres régions du monde.

Utilisations Odeur plus piquante et saveur plus forte que la marjolaine, cette plante est donc plus résistante et peut supporter une cuisson plus longue sans perdre son arôme. Les feuilles s'utilisent fraîches ou séchées, en particulier dans la cuisine italienne et méditerranéenne, ainsi que dans de nombreux produits carnés, notamment les charcuteries. Facilite la digestion et est antiseptique. Utilisé également pour les bronchites. L'huile essentielle entre dans la composition de liqueurs, de parfums et de cosmétiques.

Marjolaine

Origanum majorana

Taille et description Plante ressemblant à son proche parent l'origan, mais généralement plus petite dans l'ensemble, mesurant jusqu'à 30 cm de haut, avec des feuilles plus ou moins sessiles. Fleurs à calice, à une lèvre profondément fendu, sur un côté.

Distribution Indigène en Afrique du Nord et en Asie du Sud-Ouest, cultivée dans d'autres régions et naturalisée en Europe du Sud.

Utilisations Introduite en Europe au XVIe siècle, on l'utilisait en petits bouquets pour éloigner la peste et d'autres maladies. Saveur plus délicate et odeur plus douce que l'origan. Les feuilles fraîches ou séchées sont utilisées dans les plats peu cuits avec des légumes, des œufs ou de la crème. Une tisane de marjolaine peut aider à soulager les rhumes et faciliter la digestion. Son huile essentielle entre dans la composition de parfums et de produits cosmétiques.

Thym commun

Thymus vulgaris

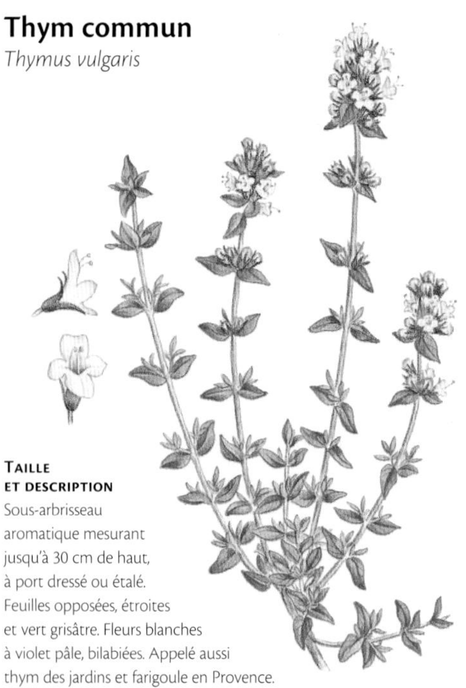

Taille et description Sous-arbrisseau aromatique mesurant jusqu'à 30 cm de haut, à port dressé ou étalé. Feuilles opposées, étroites et vert grisâtre. Fleurs blanches à violet pâle, bilabiées. Appelé aussi thym des jardins et farigoule en Provence.

Distribution Indigène dans l'ouest du Bassin méditerranéen et naturalisé ailleurs.

Utilisations Aromate répandu et très apprécié en cuisine. Les feuilles fraîches ou séchées peuvent être ajoutées dans pratiquement tous les plats salés. Propriétés antiseptiques puissantes. L'huile de thym est utilisée dans les bains de bouche et les remèdes contre la toux, ainsi que dans certains produits cosmétiques et dentifrices. L'huile peut être toxique en usage interne. Elle est à proscrire pendant la grossesse.

Thym serpolet

Thymus serpyllum

Taille et description Plante vivace formant un tapis et mesurant jusqu'à 5 cm de haut. Petites feuilles opposées. Fleurs violettes, bilabiées, en grappes terminales denses.

Distribution Commun en Europe dans les prairies sèches, les landes, les dunes et les éboulis, à partir du sud de la Suède et en direction du sud.

Utilisations Excellente herbe aromatique qui peut être utilisée dans les plats salés et les farces pour la volaille.

Menthe douce

Mentha spicata

Taille et description Plante vivace fortement aromatique mesurant jusqu'à 90 cm de haut. Feuilles étroites ovales, dentées et presque sessiles. Fleurs lavande, en épis grands et fins. Appelée aussi menthe verte, menthe crépue.

Distribution Origines inconnues, mais pousse dans toute l'Europe et le sud-ouest de l'Asie. Pousse dans les terrains humides, dans les prairies et sur les bas-côtés ; populaire dans les jardins.

Utilisations C'est la menthe culinaire cultivée la plus populaire, idéale pour la sauce anglaise à la menthe, la gelée de menthe et le vinaigre, délicieuse dans les plats à base de yaourt, les pommes de terre et les salades. Souvent utilisée dans les mélanges de thé.

Menthe d'eau

Mentha aquatica

Taille et description Plante vivace très parfumée mesurant jusqu'à 50 cm de haut, à tiges souterraines rampantes. Feuilles violet verdâtre, opposées, dentées et ovales. Petites fleurs lilas densément serrées sur des têtes terminales mesurant jusqu'à 2 cm de diamètre, avec des grappes supplémentaires parfois à l'aisselle des feuilles supérieures. L'une des dix espèces de menthe sauvage européennes, aux diverses saveurs. Appelée aussi menthe aquatique.

Distribution Largement distribuée en Europe dans les marais, les marécages et les forêts humides, ainsi que sur les rives des cours d'eau, des rivières et des lacs ; plus rare dans le nord.

Utilisations Goût légèrement amer, mais peut être utilisée comme la menthe verte dans les sauces, les chutneys, les boissons froides et les thés.

Menthe pouliot

Mentha pulegium

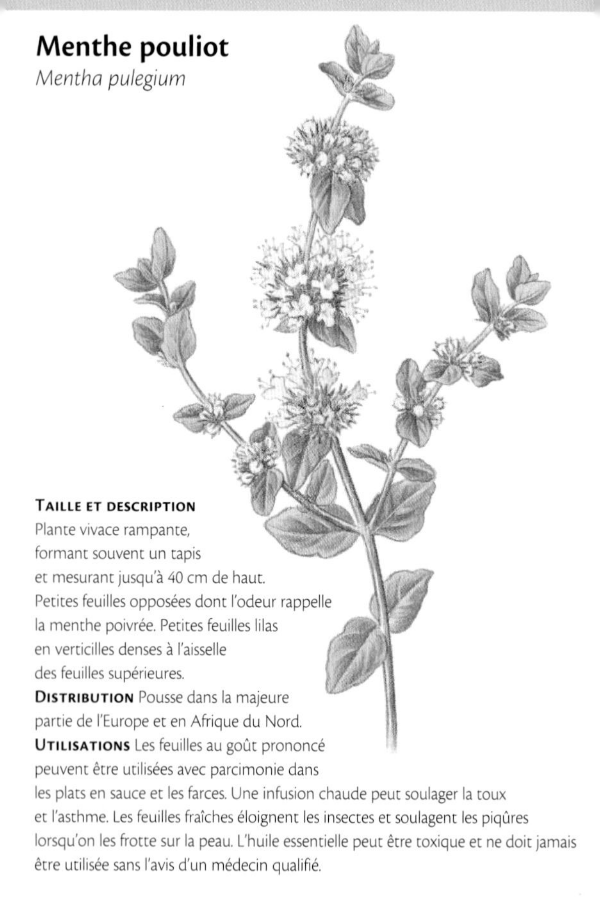

Taille et description Plante vivace rampante, formant souvent un tapis et mesurant jusqu'à 40 cm de haut. Petites feuilles opposées dont l'odeur rappelle la menthe poivrée. Petites feuilles lilas en verticilles denses à l'aisselle des feuilles supérieures.

Distribution Pousse dans la majeure partie de l'Europe et en Afrique du Nord.

Utilisations Les feuilles au goût prononcé peuvent être utilisées avec parcimonie dans les plats en sauce et les farces. Une infusion chaude peut soulager la toux et l'asthme. Les feuilles fraîches éloignent les insectes et soulagent les piqûres lorsqu'on les frotte sur la peau. L'huile essentielle peut être toxique et ne doit jamais être utilisée sans l'avis d'un médecin qualifié.

Monarde pourpre

Monarda didyma

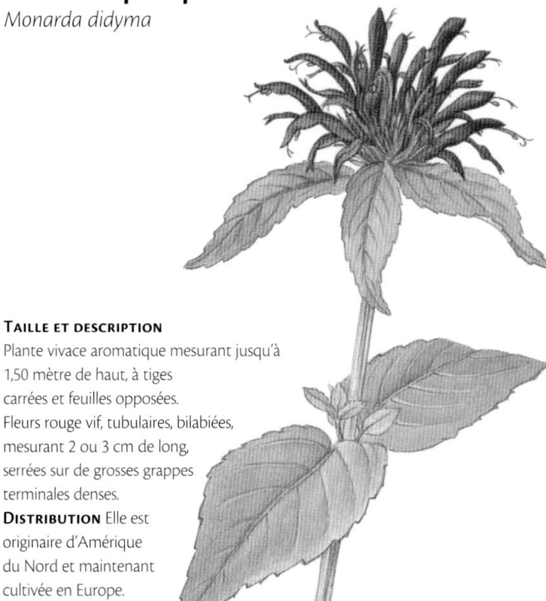

Taille et description
Plante vivace aromatique mesurant jusqu'à 1,50 mètre de haut, à tiges carrées et feuilles opposées. Fleurs rouge vif, tubulaires, bilabiées, mesurant 2 ou 3 cm de long, serrées sur de grosses grappes terminales denses.

Distribution Elle est originaire d'Amérique du Nord et maintenant cultivée en Europe.

Utilisations
Les feuilles permettent de préparer le thé d'Oswego, des Indiens Oswego d'Amérique du Nord qui furent les premiers à l'utiliser.
Les pétales peuvent être employés pour décorer les salades, les feuilles dans des boissons ou ciselées avec modération dans les salades, les farces et les confitures.
Les feuilles ont longtemps été utilisées pour les troubles digestifs et les rhumes ainsi que pour faire chuter la fièvre.

Lavande

Lavandula angustifolia

Taille et description Sous-arbrisseau aromatique à feuilles persistantes, très ramifié, mesurant jusqu'à 1 mètre de haut. Feuilles opposées, étroites, d'abord blanches et velues, puis vertes. Fleurs bleu lavande ou violettes, bilabiées, en épis denses. Appelée aussi lavande vraie.

Distribution Originaire du Bassin méditerranéen et cultivée dans d'autres régions du monde.

Utilisations Parfois utilisée pour parfumer les sorbets et les biscuits. Les feuilles et les fleurs sont employées dans des tisanes et du tabac à base de plantes. Les fleurs séchées sont placées dans des sachets pour préserver la fraîcheur du linge. L'huile de lavande est un remède de premier secours contre les piqûres et les morsures. L'huile essentielle extraite des fleurs est employée en aromathérapie contre les infections et le stress, ainsi que dans des parfums et produits cosmétiques.

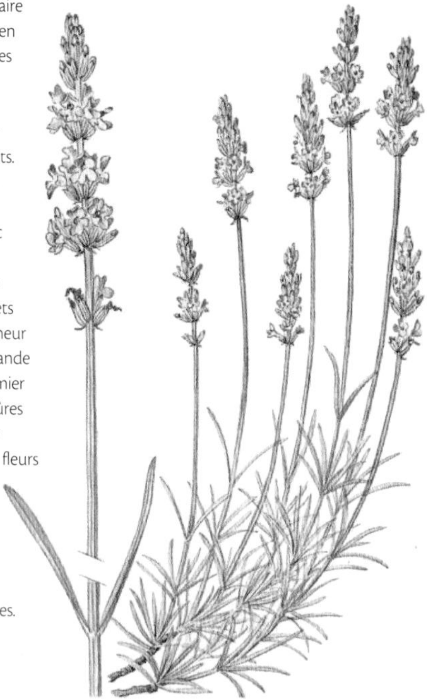

Romarin

Rosmarinus officinalis

TAILLE ET DESCRIPTION Arbrisseau aromatique à feuilles persistantes mesurant jusqu'à 2 mètres de haut. Feuilles opposées, vert foncé sur le dessus et blanches velues sur le dessous, étroites et coriaces. Fleurs bleu pâle, bilabiées, à 2 étamines protubérantes. Appelé aussi rose marine, encensier, herbe aux couronnes.

DISTRIBUTION Originaire de Méditerranée et cultivé ailleurs.

UTILISATIONS Les feuilles parfument de nombreux plats de viande, en particulier d'agneau, des sauces, des poissons au four, des liqueurs, des vinaigres et des huiles. L'huile essentielle distillée à partir des feuilles et des fleurs est ajoutée à des liniments antalgiques et appliquée directement sur la zone concernée en cas de maux de tête ou sur la peau pour éloigner les insectes. L'huile ne doit pas être employée en usage interne et des doses très élevées des feuilles sont toxiques.

Lamier blanc

Lamium album

Taille et description Plante vivace légèrement aromatique mesurant jusqu'à 80 cm de haut, à tiges dressées. Feuilles opposées, ovales et pointues, à bord denté. Fleurs blanches à lèvre supérieure en casque, portées en verticilles denses. Appelé aussi ortie blanche, ortie morte, ortie folle.

Distribution Commun dans la majeure partie de l'Europe, mais rare dans le sud.

Utilisations Les jeunes pousses et les feuilles, récoltées avant la floraison, peuvent se déguster en salade ou mélangées avec d'autres légumes et cuites comme des épinards. Avec les boutons floraux, elles se consomment aussi dans les soupes, les sauces et les ragoûts.

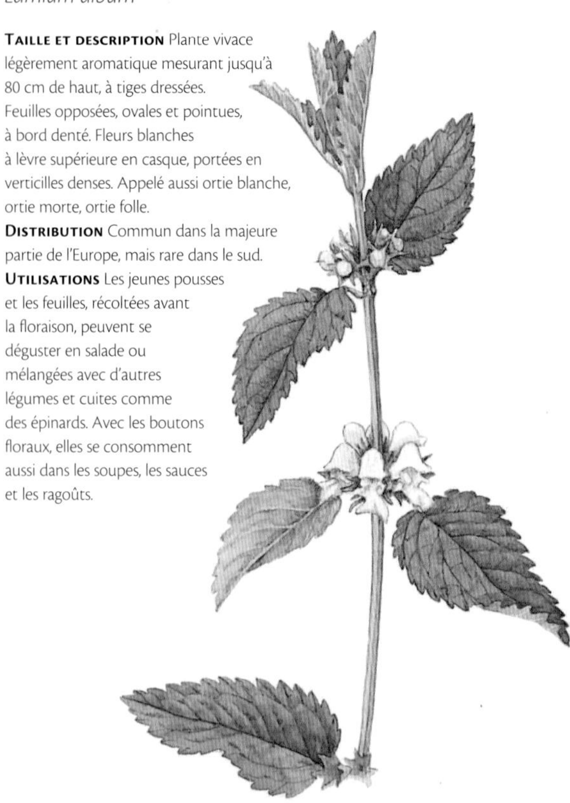

Lamier pourpre

Lamium purpureum

TAILLE ET DESCRIPTION
Plante annuelle souple et poilue, rameuse, mesurant jusqu'à 30 cm de haut, à tiges teintées de violet dégageant une odeur fétide lorsqu'on les écrase. Feuilles opposées cordiformes, à long pétiole. Fleurs violet rosâtre, en verticilles près de l'extrémité supérieure de chaque tige dressée. Appelé aussi ortie rouge.
DISTRIBUTION Commun en Europe, sauf à l'extrême nord.
UTILISATIONS S'utilise de la même manière que le lamier blanc (ci-contre). Les fleurs peuvent être cristallisées.

Lierre terrestre

Glechoma hederacea

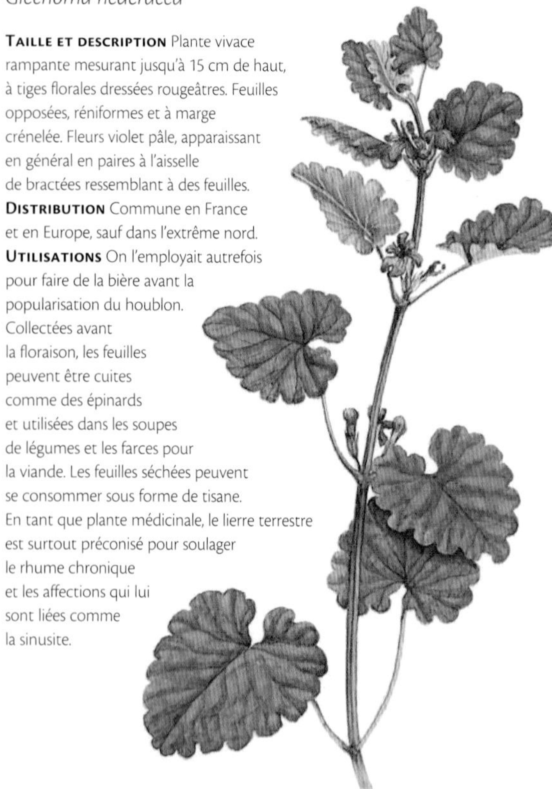

Taille et description Plante vivace rampante mesurant jusqu'à 15 cm de haut, à tiges florales dressées rougeâtres. Feuilles opposées, réniformes et à marge crénelée. Fleurs violet pâle, apparaissant en général en paires à l'aisselle de bractées ressemblant à des feuilles.
Distribution Commune en France et en Europe, sauf dans l'extrême nord.
Utilisations On l'employait autrefois pour faire de la bière avant la popularisation du houblon. Collectées avant la floraison, les feuilles peuvent être cuites comme des épinards et utilisées dans les soupes de légumes et les farces pour la viande. Les feuilles séchées peuvent se consommer sous forme de tisane. En tant que plante médicinale, le lierre terrestre est surtout préconisé pour soulager le rhume chronique et les affections qui lui sont liées comme la sinusite.

Belladone

Atropa belladonna

Taille et description Plante vivace arbustive mesurant jusqu'à 1,5 mètre de haut. Feuilles ovales mesurant 20 cm de long. Fleurs brun violet à verdâtre, en clochettes retombantes. Fruits mesurant 2 cm de diamètre, noir luisant lorsqu'ils sont mûrs. Appelée aussi belle dame, morelle furieuse, herbe-au-diable.

Distribution Plante forestière indigène en Europe, en Afrique du Nord et dans certaines régions d'Asie, s'est naturalisée en Amérique du Nord.

Utilisations Très utilisée dans des spécialités pharmaceutiques. Toutes les parties contiennent de l'atropine, un alcaloïde narcotique, utilisé comme sédatif et antispasmodique pour paralyser certaines régions du système nerveux. En ophtalmologie, on l'emploie pour dilater les pupilles dans les gouttes oculaires. Les femmes l'utilisaient autrefois dans ce but pour des raisons esthétiques (d'où son nom de *belladonna*, « belle dame » en italien), son usage prolongé pouvant cependant entraîner la cécité. La plante est extrêmement toxique et ne doit être utilisée que sous surveillance médicale.

Piment des jardins

Capsicum annuum

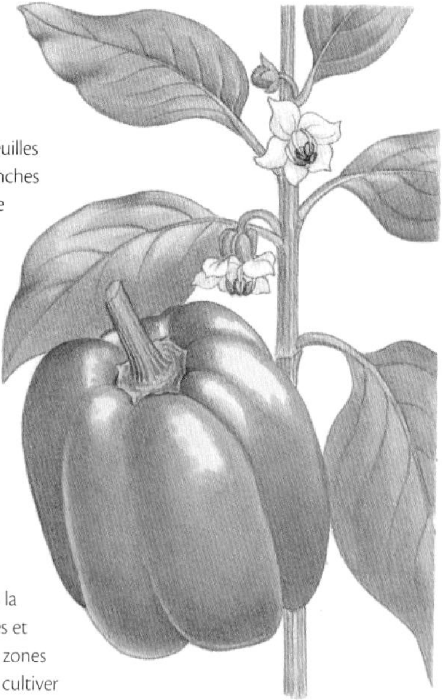

Taille et description Plante annuelle mesurant jusqu'à 90 cm de haut, à feuilles vertes brillantes. Fleurs blanches retombantes, avec un cône lâche d'étamines jaune bleuté. Fruits mesurant jusqu'à 27 cm de long, fermes et charnus, qui passent du vert au jaune ou au rouge vif en mûrissant. Il en existe des centaines de variétés classées en fonction de leur forme. Appelé aussi piment d'ornement.

Distribution Indigène dans les régions tropicales d'Amérique et cultivé dans la plupart des régions chaudes et même tempérées. Dans les zones où l'été est frais, on peut le cultiver en serres ou en jardin d'hiver.

Utilisations Les fruits sont les célèbres poivrons. La chair séchée et moulue des fruits mûrs donne le paprika. L'Espagne et la Hongrie sont les premiers producteurs au monde.

Il en existe un grand nombre de variétés à saveur plus ou moins piquante. Peut être utilisé pour épicer de nombreux plats.

Piment de Cayenne

Capsicum frutescens

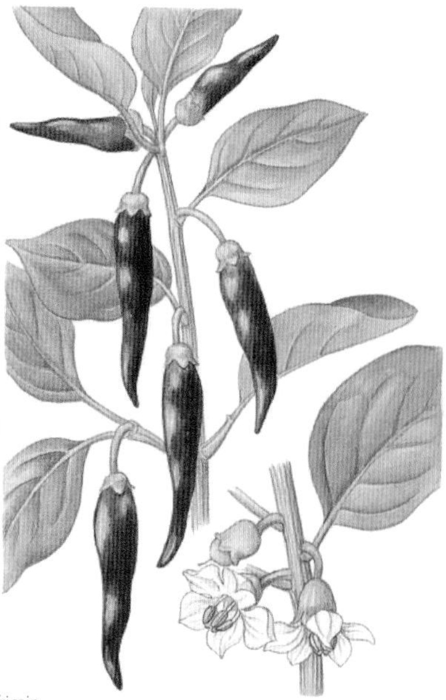

Taille et description Grande plante vivace à tiges ligneuses, mesurant jusqu'à 2 mètres de haut. Feuilles et fleurs similaires à celles de son proche parent, le piment des jardins (ci-contre), mais les fruits sont généralement plus petits, plus étroits et parfois tordus, jaunes, orange ou rouges.

Distribution Indigène en Amérique du Sud et cultivé dans les régions tropicales.

Utilisations Ce piment s'utilise pour produire une vaste gamme de condiments. Une fois séchés et pulvérisés, les fruits très forts donnent le poivre de Cayenne. Le piri piri, petit piment africain, a été transformé par les Portugais en une sauce qui contient également des citrons, des épices et des herbes. Le Tabasco® est une sauce pimentée célèbre, inventée aux États-Unis en 1868. Sur le plan médicinal, cette plante a été employée en usage externe pour les douleurs musculaires et névralgiques, et en interne pour stimuler la circulation et soulager les rhumes.

Datura officinal, stramoine

Datura stramonium

Taille et description Plante annuelle mesurant jusqu'à 2 mètres de haut. Feuilles coriaces, à bord denté ondulé. Fleurs blanches à violet pâle, odoriférantes, en trompettes, rarement complètement ouvertes. Petites graines noires contenues dans des capsules à 4 valves de la taille d'une noix. Appelé aussi pomme épineuse.

Distribution Indigène en Amérique du Nord, s'est naturalisé dans de nombreuses autres régions du monde.

Utilisations Apparenté à la belladone et à la jusquiame. Contient des alcaloïdes similaires et possède aussi une action narcotique. Utilisé comme analgésique, il a été employé comme produit anesthésiant et contre la maladie de Parkinson. Toutes les parties de la plante sont extrêmement toxiques et ne doivent jamais être ingérées.

Mandragore

Mandragora officinarum

Taille et description
Plante vivace en rosette, mesurant jusqu'à 15 cm de haut, à racine pivotante très fourchue. Feuilles vert foncé, mesurant jusqu'à 30 cm de long. Fleurs blanc verdâtre, parfois tachetées de violet, campanulées. Fruits globulaires, ressemblant à des tomates, passent du vert au jaune à maturité.

Distribution Elle est originaire d'Europe centrale et du sud-est, rare à l'état sauvage mais cultivée parfois.

Utilisations Avec sa racine inhabituelle en forme de corps humain, c'était l'une des plantes magiques des herboristes de l'ancien temps. Authentique plante médicinale, sa racine fournit un fort anesthésiant toujours utilisé dans la médecine moderne. Comme la belladone, elle est toxique et ne doit jamais être ingérée.

Sésame

Sesamum orientale

TAILLE ET DESCRIPTION Plante annuelle à port érigé, mesurant jusqu'à 60 cm de haut. Fleurs blanches, roses ou mauves. Le fruit est une capsule de 3 cm de long contenant des graines ovoïdes luisantes.
DISTRIBUTION Originaire d'Asie tropicale, cultivé à grande échelle et naturalisé dans d'autres régions chaudes du monde.
UTILISATIONS Domestiqué en Inde au IIe millénaire av. J.-C. et cultivé surtout pour ses graines oléagineuses. Cuites, elles possèdent une saveur de noisette et sont utilisées pour parsemer différents plats, mais aussi moulues dans diverses préparations. On en incorpore souvent dans le pain et les biscuits. Le sésame est très populaire dans la cuisine de l'est du Bassin méditerranéen où il entre dans la composition du halva, du tahini, de l'houmous et de diverses confiseries. On extrait également une huile de ses graines. En tant que remède, il a été utilisé contre les caries dentaires, la perte de cheveux précoce et l'ostéoporose.

Molène bouillon-blanc

Verbascum thapsus

Taille et description Plante bisannuelle mesurant jusqu'à 2 mètres de haut, entièrement recouverte d'un dense duvet blanc ou grisâtre. Fleurs jaunes, serrées sur un long épi terminal. Les étamines supérieures présentent des poils blancs sur les filaments. Les fruits sont des capsules ovales. Appelée aussi cierge-de-Notre-Dame, herbe à bonhomme, blanc-de-mai.

Distribution Elle est originaire d'Europe et d'Asie.

Utilisations Les feuilles donnent une tisane, qui, une fois filtrée, pourrait soulager la toux et les bronchites. Les feuilles fraîches peuvent aussi être utilisées en compresses à appliquer sur les blessures, les brûlures ou les engelures. On utilise les feuilles séchées dans des mélanges à fumer à base de plantes.

Valériane

Valeriana officinalis

Taille et description Plante vivace duveteuse mesurant jusqu'à 1,5 mètre, en général non ramifiée. Feuilles pennées ou à lobes pennés. Fleurs rose pâle, tubulaires, à 5 lobes inégaux, et portées sur une tête composée d'ombelles compactes plus petites. Appelée aussi herbe aux chats, herbe aux coupures, guérit-tout.
Distribution Pousse dans les forêts et les prairies humides de l'Europe au Japon.
Utilisations Les racines se font sécher et macérer dans de l'eau froide. Utilisée comme sédatif agissant sur le système nerveux, la valériane peut être bénéfique en cas d'anxiété, de tension et de maux de tête par tension nerveuse. Elle créerait une dépendance à long terme.

Euphraise de rostov

Euphrasia rostkoviana

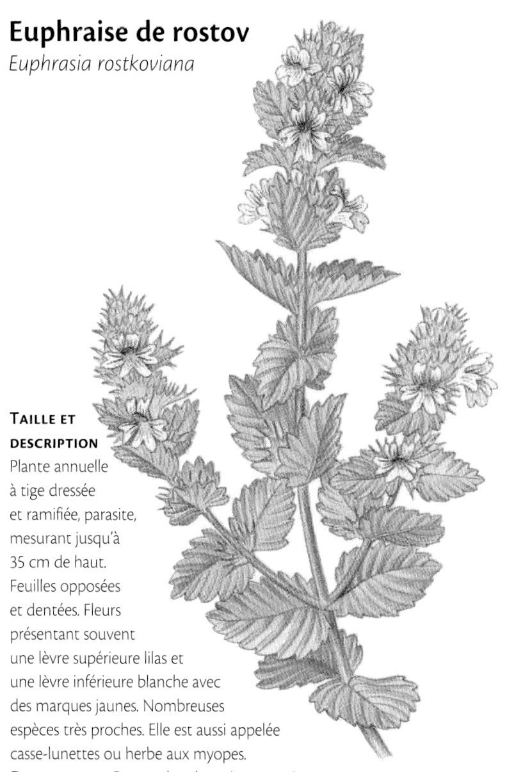

Taille et description Plante annuelle à tige dressée et ramifiée, parasite, mesurant jusqu'à 35 cm de haut. Feuilles opposées et dentées. Fleurs présentant souvent une lèvre supérieure lilas et une lèvre inférieure blanche avec des marques jaunes. Nombreuses espèces très proches. Elle est aussi appelée casse-lunettes ou herbe aux myopes.

Distribution Pousse dans la majeure partie de l'Europe et dans certaines régions voisines.

Utilisations Les parties aériennes sont utilisées pour préparer un bain oculaire apaisant. Également préconisée contre les rhumes chroniques et le rhume des foins.

Digitale pourpre

Digitalis purpurea

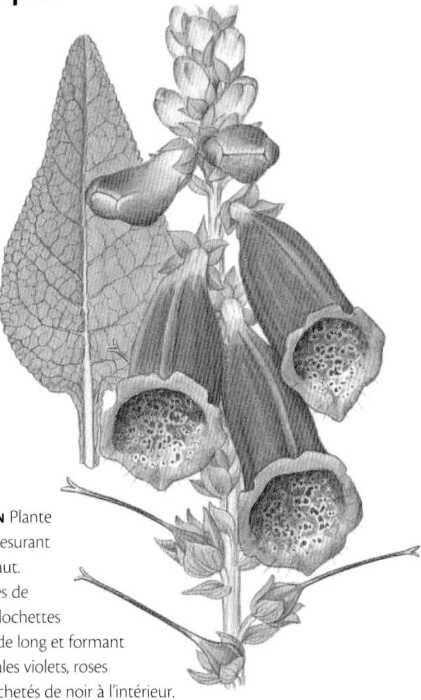

Taille et description Plante bisannuelle ou vivace mesurant jusqu'à 1,80 mètre de haut. Feuilles basales couvertes de poils soyeux. Fleurs en clochettes mesurant jusqu'à 5 cm de long et formant une hampe longue. Pétales violets, roses ou blancs, en général tachetés de noir à l'intérieur.

Distribution Originaire de l'ouest de l'Europe.

Utilisations Les feuilles donnent un poison violent, la digitaline, qui contient des composés affectant le muscle cardiaque et augmentant le pouls. La digitale laineuse très proche (*D. lanata*), originaire du sud de l'Europe, a aujourd'hui largement remplacé cette espèce dans la production commerciale. Extrêmement toxique, peut causer une paralysie et une mort soudaine si elle est mal utilisée.

Plantain lancéolé

Plantago lanceolata

Taille et description Plante vivace mesurant jusqu'à 45 cm. Forme une touffe de feuilles lancéolées mesurant jusqu'à 15 cm de long. Petites fleurs brunâtres en capitules sur un long pédoncule. Les fruits sont des capsules oblongues dont le dessus se détache pour expulser les graines. Appelé aussi petit plantain.

Distribution Commun et répandu dans toute l'Europe.

Utilisations Les feuilles jeunes peuvent se consommer en salade, mais elles sont assez amères et sont meilleures cuites comme des épinards, une fois que les veines fibreuses ont été supprimées. Utilisé depuis très longtemps comme plante médicinale. Les feuilles froissées ou écrasées ont des propriétés styptiques : elles aident à stopper les saignements et à soulager la douleur due aux piqûres, morsures et brûlures. Elles contiennent du mucilage, des tannins et de la silice. On utilise une infusion de plantain contre les bronchites, la toux et les problèmes pulmonaires.

Poivrier noir

Piper nigrum

Taille et description Liane vivace mesurant jusqu'à 6 mètres de haut, à tiges volubiles lisses. Grandes feuilles alternes, épaisses et coriaces. Petites fleurs verdâtres, dépourvues de pétales, en long épis retombants produits aux nœuds des feuilles. Les baies passent du vert à l'orange, puis au rouge à maturité.
Distribution Originaire d'Asie tropicale et cultivé à grande échelle dans les régions tropicales.
Utilisations L'une des épices orientales les plus anciennes et les plus réputées. Avec le sel, ingrédient clé de la plupart des plats salés. Le poivre noir provient des baies vertes séchées. On les fait tremper pour les décortiquer et obtenir le poivre blanc plus doux. L'huile essentielle est utilisée en frictions pour soulager les douleurs et les inflammations.

Sureau noir

Sambucus nigra

Taille et description Petit arbre ou arbuste buissonnant, à fleurs blanches odoriférantes et feuillage à l'odeur fétide. Feuilles opposées, composées de 5 à 7 folioles. Têtes florales ramifiées et aplaties sur le dessus, suivies de grappes pendantes de baies noires. Appelé aussi grand sureau, sureau commun, arbre de Judas.

Distribution Indigène dans la majeure partie de l'Europe, de l'Afrique du Nord et de l'Asie de l'Ouest.

Utilisations Les fleurs et les baies sont traditionnellement utilisées pour faire des vins et des liqueurs. Les baies sont délicieuses en confiture et en tarte, mais ne doivent pas être consommées crues. On les utilise en infusion contre les rhumes chroniques et le rhume des foins, en bain oculaire, en gargarisme et pour faire un onguent pour la peau. Les feuilles ne doivent pas être ingérées.

Eupatoire

Eupatorium perfoliatum

Taille et description Plante vivace mesurant jusqu'à 1,20 mètre de haut. La base des feuilles lancéolées et froissées, disposées par paires, est fusionnée pour encercler la tige. Capitules composés de fleurs blanches ou violet pâle en corymbes.

Distribution Originaire d'Amérique du Nord.

Utilisations Une tisane des feuilles était autrefois utilisée par les Indiens d'Amérique et les premiers colons contre la fièvre et la grippe. Des études récentes semblent indiquer qu'elle stimulerait le système immunitaire. Peut être toxique à forte dose.

Solidage verge d'or

Solidago virgaurea

TAILLE ET DESCRIPTION Plante vivace duveteuse mesurant jusqu'à 75 cm de haut. Feuilles lancéolées à ovales, plus larges au-dessus du centre. Capitules jaunes radiés, en épis ramifiés. Appelée aussi solidage des bois, verge-d'or.

DISTRIBUTION Pousse dans une variété d'habitats dans tout l'hémisphère Nord.

UTILISATIONS Plante diurétique douce, utilisée dans de nombreuses spécialités pharmaceutiques pour traiter les troubles rénaux et de la vessie, le rhume chronique, l'arthrose et les rhumatismes. Peut être prise en infusion des parties aériennes cueillies avant que les fleurs ne se soient complètement développées.

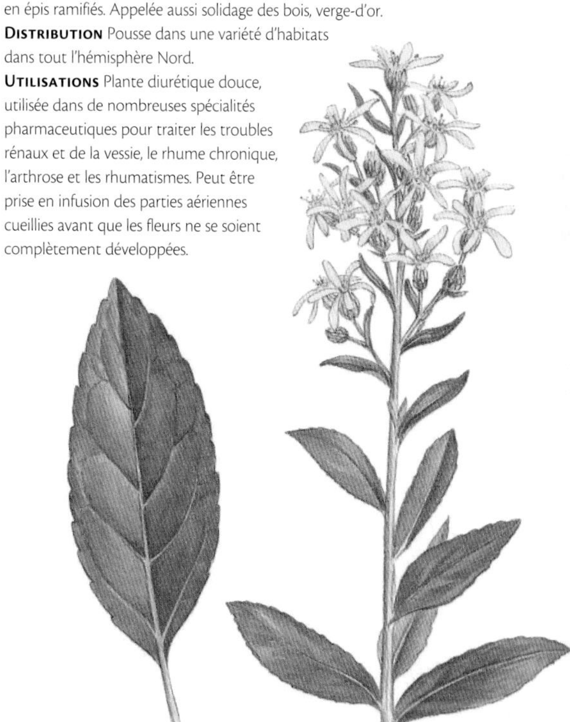

Achillée millefeuille

Achillea millefolium

Taille et description Plante vivace aromatique, duveteuse, à port dressé mesurant jusqu'à 50 cm de haut. Feuilles vert foncé très découpées. Capitules en corymbes.

Distribution Indigène dans les prairies sèches en Europe et dans l'ouest de l'Asie, introduite dans d'autres régions.

Utilisations Plante médicinale traditionnelle utilisée dans tout l'hémisphère Nord. Une infusion préparée avec la plante fleurie séchée est utilisée contre les rhumes et la fièvre. Propriétés styptiques : aide à contrôler les hémorragies internes et externes et à éliminer les caillots sanguins. Contient au moins un composé toxique et peut entraîner une photosensibilité à forte dose.

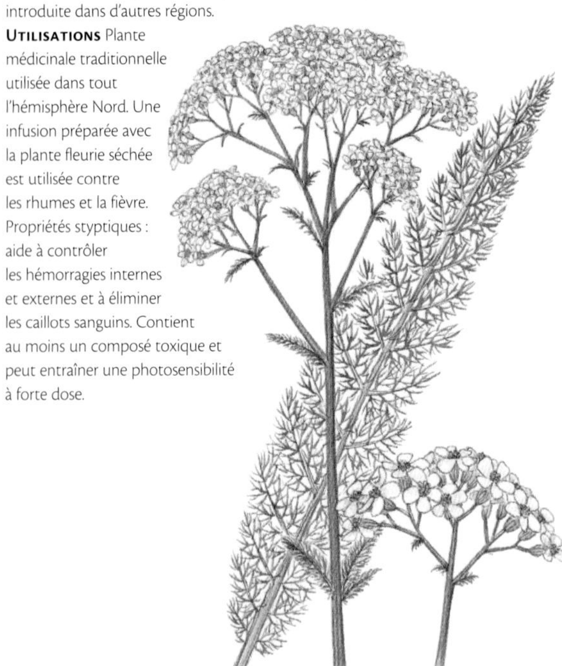

Aunée officinale

Inula helenium

Taille et description Plante vivace duveteuse mesurant jusqu'à 2,5 mètres de haut. Feuilles inférieures pétiolées, feuilles supérieures sessiles et embrassantes. Capitules de fleurons jaunes. Appelée aussi grande aunée.

Distribution Indigène dans le sud-est de l'Europe et l'ouest de l'Asie, cultivée et naturalisée dans d'autres régions tempérées.

Utilisations

Utilisée en confiserie et pour aromatiser les boissons. Une tisane préparée avec les racines est un remède traditionnel contre l'asthme, la bronchite, la pneumonie et la coqueluche. Une décoction des racines est préconisée contre la sciatique et les maladies de peau. Autrefois utilisée pour traiter la tuberculose.

Tournesol

Helianthus annuus

Taille et description

Plante annuelle robuste mesurant 3 mètres de haut ou plus. Les capitules peuvent mesurer jusqu'à 30 cm de diamètre avec des fleurons radiés dorés entourant le disque foncé. Les graines sont souvent rayées blanches et noires. Appelé aussi soleil, fleur de soleil.

Distribution Originaire d'Amérique du Nord et cultivé partout ailleurs, comme plante ornementale et pour l'industrie.

Utilisations Surtout connu pour son huile comestible de grande qualité que l'on extrait des graines. Une tisane préparée avec les fleurs est préconisée contre les affections pulmonaires et la malaria, celle réalisée avec les feuilles contre la fièvre et les morsures. Les deux peuvent entraîner des réactions allergiques chez certaines personnes.

Matricaire tronquée

Matricaria recutita

Taille et description Plante annuelle fortement aromatique mesurant jusqu'à 60 cm de haut, à feuilles très divisées. Les fleurons radiés blancs des capitules sont tournés vers le bas ; disque central jaune très bombé et creux. Appelée aussi camomille allemande, petite camomille.

Distribution Probablement originaire du sud et de l'est de l'Europe et de certaines régions d'Asie, mais répandue à l'état sauvage partout ailleurs.

Utilisations

On préconise une tisane préparée avec les fleurs séchées contre les coliques, l'insomnie, l'hyperactivité et l'anxiété. Utilisée localement pour traiter les inflammations cutanées et les démangeaisons. Peut entraîner des réactions allergiques chez certaines personnes. Entre dans la composition de crèmes pour la peau et de shampooings.

Camomille romaine

Chamaemelum nobile

Taille et description Plante vivace aromatique velue mesurant jusqu'à 15 cm de haut. Similaire à la matricaire, mais les capitules présentent un disque conique dur de fleurons jaunes tandis que les fleurons radiés périphériques blancs sont parfois absents. Appelée aussi camomille odorante, camomille noble.

Distribution Indigène dans l'ouest de l'Europe et en Afrique du Nord, souvent cultivée et naturalisée ailleurs.

Utilisations Forme un tapis, on la plante pour réaliser des « pelouses de camomille ». Contient des composés semblables à ceux de la matricaire et est parfois utilisée à sa place. Peut entraîner des vomissements en cas de consommation excessive.

Tanaisie commune

Tanacetum vulgare

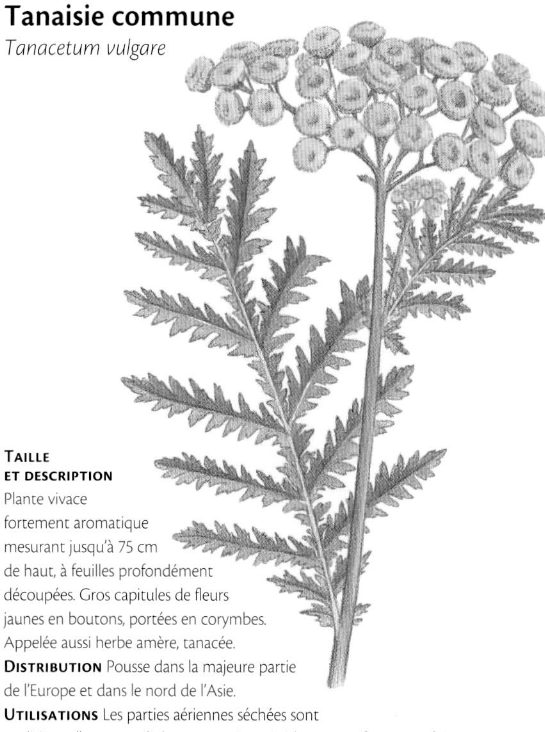

Taille et description Plante vivace fortement aromatique mesurant jusqu'à 75 cm de haut, à feuilles profondément découpées. Gros capitules de fleurs jaunes en boutons, portées en corymbes. Appelée aussi herbe amère, tanacée.

Distribution Pousse dans la majeure partie de l'Europe et dans le nord de l'Asie.

Utilisations Les parties aériennes séchées sont traditionnellement utilisées comme insecticide et vermifuge, autrefois par voie interne et externe. Les feuilles peuvent être suspendues à l'intérieur de la maison pour chasser les mouches ou ajoutées dans des sachets anti-insectes. L'usage interne est aujourd'hui déconseillé car elle est toxique, en particulier l'huile essentielle, qui est mortelle même à faible dose.

Grande camomille

Tanacetum parthenium

Taille et description Plante vivace aromatique vert jaunâtre mesurant jusqu'à 50 cm de haut. Feuilles à lobes pennés. Capitules à fleurons centraux tubulés serrés entourés de fleurons radiés blancs. Appelée aussi pyrèthre doré.

Distribution Originaire des Balkans et d'Asie de l'Ouest. Cultivée depuis longtemps, elle s'est naturalisée dans de nombreuses régions du monde.

Utilisations Une tisane sédative préparée à partir des parties feuillues est un remède traditionnel contre l'arthrose, les rhumes et les crampes. Plus récemment, elle a été mentionnée comme traitement de la migraine. Doit être utilisée avec précaution car elle peut entraîner des réactions allergiques chez certaines personnes.

Grande balsamite

Balsamita major

Taille et description Plante vivace vert terne, densément velue, mesurant jusqu'à 1,20 mètre de haut. Grandes feuilles oblongues, finement dentées. Capitules en grappes ramifiées ; fleurons radiés blancs parfois absents, ce qui donne aux capitules l'apparence de boutons. Appelée aussi menthe coq.

Distribution Originaire de l'ouest de l'Asie et largement introduite en Europe.

Utilisations
Traditionnellement utilisée pour aromatiser les bières. Possède une odeur mentholée, balsamique. Les feuilles séchées peuvent être utilisées dans des sachets pour éloigner les insectes. Ne pas employer en cuisine.

Absinthe

Artemisia absinthium

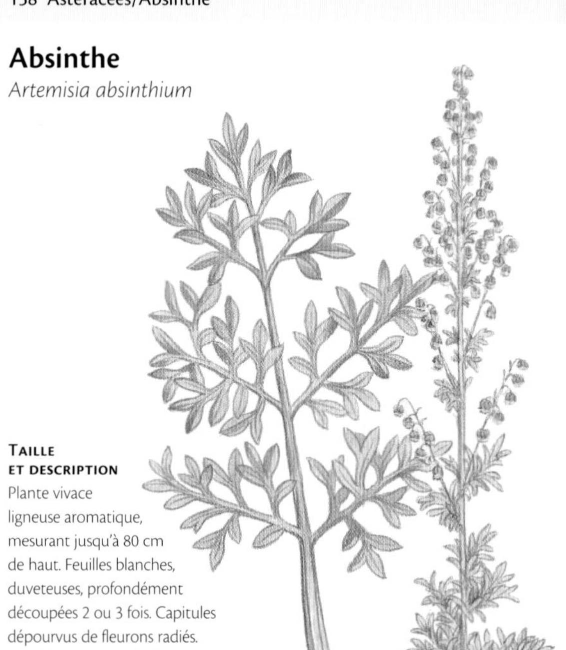

Taille et description Plante vivace ligneuse aromatique, mesurant jusqu'à 80 cm de haut. Feuilles blanches, duveteuses, profondément découpées 2 ou 3 fois. Capitules dépourvus de fleurons radiés. Appelée aussi grande absinthe, herbe sainte.

Distribution Pousse dans la majeure partie de l'Europe, mais probablement introduite dans certaines régions.

Utilisations L'une des plantes les plus amères connues. Depuis des siècles, ingrédient majeur de certaines liqueurs, notamment l'absinthe. En tant que remède, utilisée comme stimulant et digestif, mais aussi en tant que vermifuge. À forte dose, elle a des effets néfastes sur le système nerveux central. Ne doit pas être employée en usage interne sans l'avis d'un médecin qualifié.

Aurone

Artemisia abrotanum

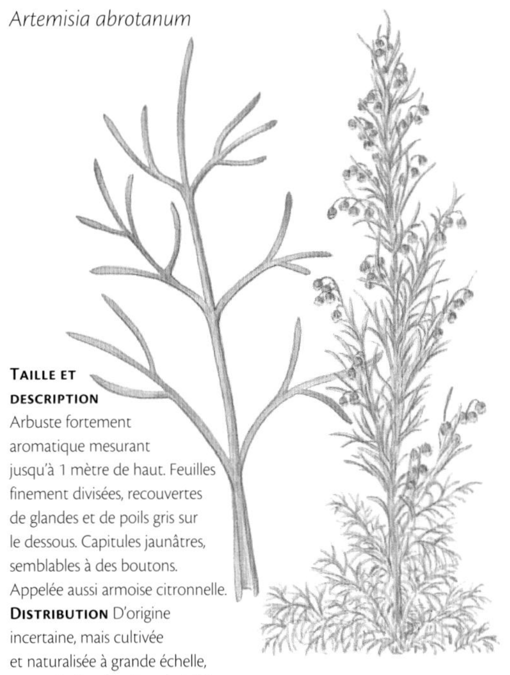

Taille et description Arbuste fortement aromatique mesurant jusqu'à 1 mètre de haut. Feuilles finement divisées, recouvertes de glandes et de poils gris sur le dessous. Capitules jaunâtres, semblables à des boutons. Appelée aussi armoise citronnelle.

Distribution D'origine incertaine, mais cultivée et naturalisée à grande échelle, en particulier dans le sud de l'Europe.

Utilisations Proche parente de l'absinthe (ci-contre) et utilisée de la même manière comme stimulant, vermifuge et, une fois séchée, comme antimite. Les jeunes feuilles et pousses possèdent un goût amer très fort, légèrement citronné, et dégagent une forte odeur de citron. On les utilise pour aromatiser les gâteaux. À proscrire pendant la grossesse.

Estragon

Artemisia dracunculus

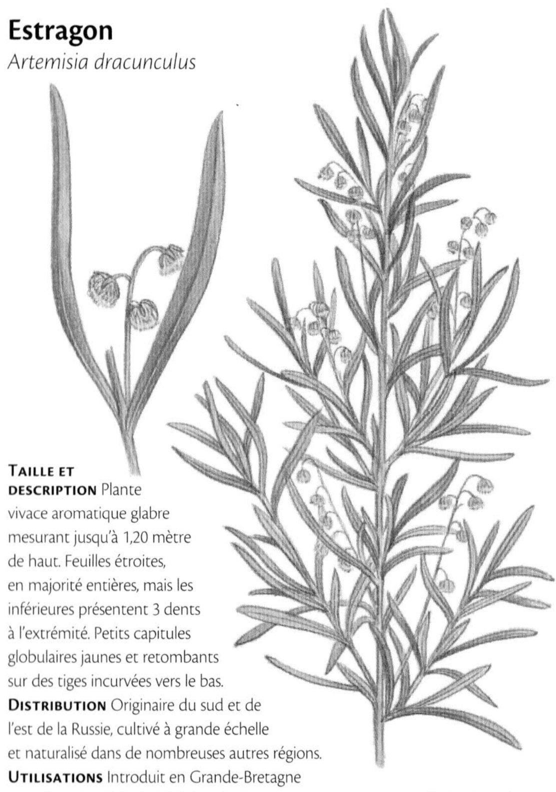

TAILLE ET DESCRIPTION Plante vivace aromatique glabre mesurant jusqu'à 1,20 mètre de haut. Feuilles étroites, en majorité entières, mais les inférieures présentent 3 dents à l'extrémité. Petits capitules globulaires jaunes et retombants sur des tiges incurvées vers le bas.

DISTRIBUTION Originaire du sud et de l'est de la Russie, cultivé à grande échelle et naturalisé dans de nombreuses autres régions.

UTILISATIONS Introduit en Grande-Bretagne au milieu du XVe siècle. Utilisé exclusivement comme aromate culinaire dans de nombreuses sauces, marinades et conserves. À utiliser de préférence frais ou macéré dans de l'huile ou du vinaigre pour préserver sa saveur.

Armoise commune

Artemisia vulgaris

Taille et description Plante vivace aromatique en touffes, mesurant jusqu'à 1,25 mètre de haut, à tiges rougeâtres. Feuilles sessiles en lobes aigus, vertes et glabres sur le dessus, à poils gris soyeux sur le dessous. Capitules jaune rougeâtre sur de nombreux épis laineux courts.

Distribution Commune dans toute l'Europe, à l'exception de l'extrême nord.

Utilisations Les feuilles amères étaient autrefois utilisées pour aromatiser la bière ou séchées pour faire des tisanes. Employée pour parfumer la graisse des rôtis, les sauces et les salades. En phytothérapie, on la préconise pour stimuler la digestion et comme tonique nerveux.

Tussilage

Tussilago farfara

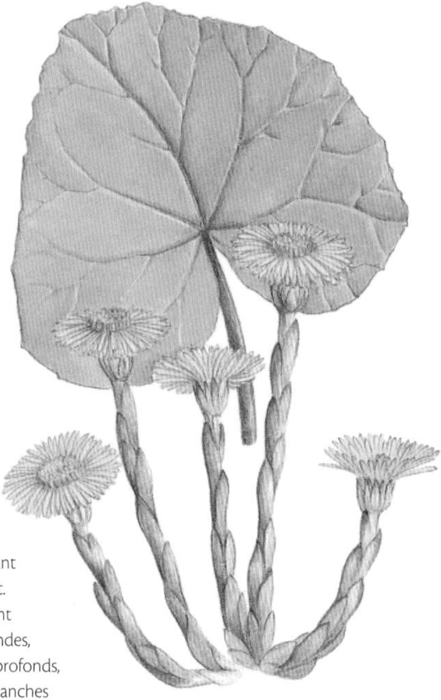

Taille et description Plante vivace à tiges fleuries mesurant jusqu'à 15 cm de haut. Elles apparaissent avant les grandes feuilles rondes, dentées, à lobes peu profonds, vertes sur le dessus, blanches et laineuses sur le dessous. Fleurs jaunes, solitaires sur des tiges à écailles violettes. Appelé aussi pas-d'âne.

Distribution Pousse dans les friches humides dans la plupart des régions tempérées de l'hémisphère Nord.

Utilisations Une tisane ou un sirop apaisant préparé à partir des feuilles et des fleurs agit sur les muqueuses et est utilisé en cas de rhume et de bronchite. Les feuilles séchées peuvent être fumées dans le même but, on pense qu'elles auraient des propriétés antihistaminiques. Potentiellement toxique à forte dose.

Souci officinal

Calendula officinalis

Taille et description Plante vivace très ramifiée mesurant jusqu'à 70 cm de haut. Feuilles oblongues ou spatulées, glanduleuses ou en partie laineuses. Fleurs jaunes ou orange.

Distribution Peut-être originaire d'Europe du Sud et cultivé dans de nombreuses régions.

Utilisations Les fleurs comestibles, cueillies dès qu'elles s'ouvrent, peuvent être intégrées dans les salades et les omelettes. Elles remplacent le safran pour colorer le riz et les gâteaux. Elles ont la réputation d'être antiseptiques, antifongiques et antibactériennes. On les utilise en compresses en cas de brûlures, d'ulcères, d'engelures et d'impétigo.

Petite bardane

Arctium minus

Taille et description Plante bisannuelle duveteuse, coriace, mesurant jusqu'à 1,50 mètre de haut. Larges feuilles en cœur à la base, à tiges vigoureuses. Capitules munis de crochets, composés seulement de fleurons centraux violets.
Distribution Commune dans toute l'Europe et dans certaines régions d'Asie de l'Ouest.
Utilisations La racine est comestible crue ou cuite ; il est préférable de récolter celle des plantes jeunes. On l'épluche et on la coupe en rondelles. Les feuilles jeunes sont comestibles crues ou cuites. Les hampes florales jeunes peuvent être épluchées et consommées crues ou cuites comme des asperges. La grande bardane (*A. lappa*) est plus douce et s'utilise de la même manière. La bardane aurait la propriété de purifier le sang, on l'utilise contre les furoncles et d'autres affections cutanées.

Chardon-Marie

Silybum marianum

Taille et description Plante bisannuelle mesurant jusqu'à 1,50 mètre de haut. Tige dressée à feuilles basales pétiolées, épineuses, à nervures blanches. Feuilles caulinaires sessiles, embrassantes et dotées d'aiguillons blanc jaunâtre. Capitules à fleurons violet rougeâtre entourés de grandes bractées charnues et épineuses. Appelé aussi artichaut sauvage, chardon de Notre-Dame.

Distribution Originaire du sud de l'Europe, naturalisé dans d'autres régions.

Utilisations Les feuilles jeunes et les tiges, récoltées avant le développement des fleurs et débarrassées de leurs épines, peuvent être cuites comme des légumes. Les réceptacles des capitules se consomment comme des artichauts, les bractées extérieures sont particulièrement savoureuses. A la réputation de prévenir et de guérir les problèmes hépatiques, est utilisé contre des toxines comme l'alcool ainsi que pour les problèmes de digestion et de cholestérol.

Chardon béni

Cnicus benedictus

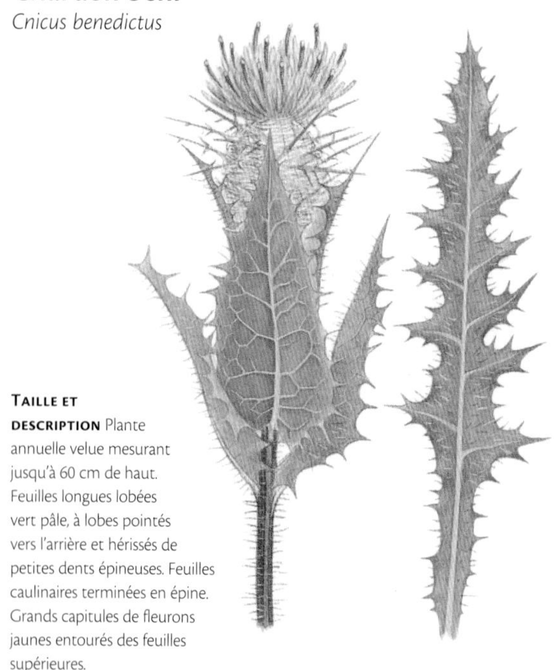

Taille et description Plante annuelle velue mesurant jusqu'à 60 cm de haut. Feuilles longues lobées vert pâle, à lobes pointés vers l'arrière et hérissés de petites dents épineuses. Feuilles caulinaires terminées en épine. Grands capitules de fleurons jaunes entourés des feuilles supérieures.

Distribution À l'état sauvage dans le Bassin méditerranéen, cultivé et naturalisé dans d'autres régions.

Utilisations Légèrement toxique à forte dose, cause des nausées, mais une tisane légère de la plante en fleurs serait bénéfique pour diverses affections, des rhumes aux migraines, en passant par la jaunisse et les teignes. Surtout utilisé comme digestif et pour retrouver l'appétit.

Carthame des teinturiers

Carthamus tinctorius

Taille et description Plante annuelle épineuse, ressemblant au chardon et mesurant jusqu'à 60 cm de haut. Feuilles basales à lobes pennés, feuilles caulinaires entières. Capitules à bractées épineuses, ressemblant à des feuilles et nombreux fleurons jaunes, orange ou rouges. Appelé aussi safran des teinturiers, safran bâtard, faux safran.

Distribution Originaire d'Asie de l'Ouest, cultivé et souvent naturalisé en Europe centrale et du Sud.

Utilisations Principalement utilisé comme plante tinctoriale. Les fleurs donnent une teinture rouge pour la soie et un colorant alimentaire jaune. Parfois utilisé comme substitut du safran. Les graines fournissent une huile diététique pauvre en cholestérol.

Salsifis des prés

Tragopogon pratensis

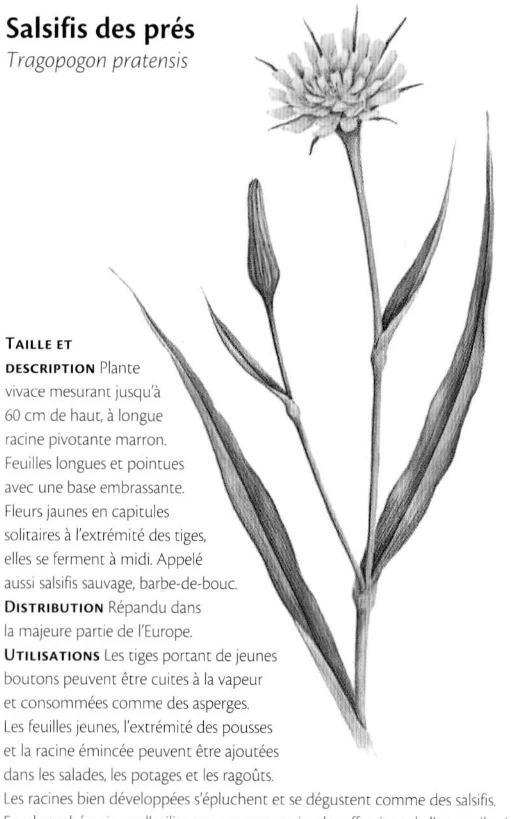

TAILLE ET DESCRIPTION Plante vivace mesurant jusqu'à 60 cm de haut, à longue racine pivotante marron. Feuilles longues et pointues avec une base embrassante. Fleurs jaunes en capitules solitaires à l'extrémité des tiges, elles se ferment à midi. Appelé aussi salsifis sauvage, barbe-de-bouc.
DISTRIBUTION Répandu dans la majeure partie de l'Europe.
UTILISATIONS Les tiges portant de jeunes boutons peuvent être cuites à la vapeur et consommées comme des asperges. Les feuilles jeunes, l'extrémité des pousses et la racine émincée peuvent être ajoutées dans les salades, les potages et les ragoûts. Les racines bien développées s'épluchent et se dégustent comme des salsifis. En phytothérapie, on l'utilise surtout pour traiter les affections de l'appareil urinaire, la rétention d'eau et les troubles digestifs.

Porcelle enracinée

Hypochaeris radicata

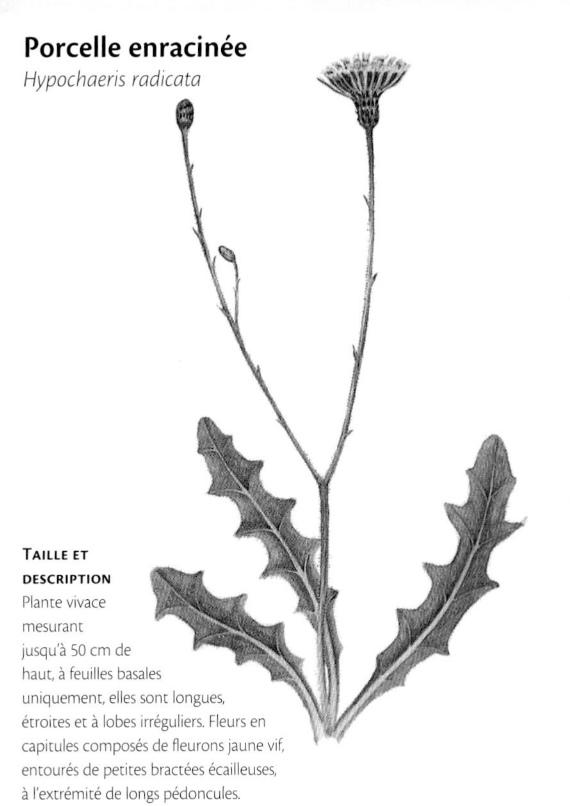

Taille et description Plante vivace mesurant jusqu'à 50 cm de haut, à feuilles basales uniquement, elles sont longues, étroites et à lobes irréguliers. Fleurs en capitules composés de fleurons jaune vif, entourés de petites bractées écailleuses, à l'extrémité de longs pédoncules.

Distribution Commune dans toute l'Europe, à l'exception de l'extrême nord.

Utilisations Les jeunes feuilles peuvent être utilisées dans les salades ou cuites comme des épinards. Les racines grillées puis moulues servent de substitut au café.

Liondent hispide

Leontodon hispidus

Taille et description Plante vivace mesurant jusqu'à 35 cm de haut. Rosette basale de feuilles à lobes pennés. Capitules solitaires jaune vif à l'extrémité de longs pédoncules, fleurons radiés externes orange ou rougeâtres sur le dessous, entourés de grandes bractées vertes.

Distribution Commun dans toute l'Europe, à l'exception du nord de l'Écosse et de l'extrême nord, pousse dans les pâturages, les marécages et d'autres endroits herbeux sur les sols riches en calcaire.

Utilisations Les feuilles jeunes peuvent se déguster en salade ou cuites comme des épinards de la même manière que les feuilles de pissenlit (ci-contre). Une infusion de feuilles est préconisée pour les problèmes rénaux, la jaunisse et l'hydropisie.

Pissenlit

Taraxacum officinale

Taille et description Plante vivace mesurant jusqu'à 35 cm de haut, à rosette de feuilles en général à lobes pennés. Capitules sur des tiges creuses vigoureuses, seuls des fleurons radiés jaunes sont présents. Appelé aussi dent-de-lion.
Distribution Répandu dans les prairies des zones tempérées et sur les friches.
Utilisations Toute la plante est comestible. Les feuilles et les fleurs sont riches en vitamines, en particulier A et C. Les feuilles se dégustent en salade ou cuites comme des épinards. Les fleurs s'utilisent pour faire un vin et les boutons peuvent être préparés au vinaigre comme des câpres. Les racines séchées se font griller pour préparer un substitut du café. Les feuilles et les racines fraîches font une tisane diurétique et la plante est utilisée comme remède contre les problèmes rénaux et hépatiques.

Chicorée sauvage

Cichorium intybus

Taille et description
Plante vivace à fleurs bleues et tiges ramifiées, mesurant jusqu'à 1 mètre de haut. Feuilles basales à lobes pennés ; les caulinaires peuvent être entières et embrasser complètement la tige. Les capitules ne contiennent que des fleurons radiés, mesurent 3 cm de diamètre et sont portés en petits groupes. Appelée aussi chicorée amère.

Distribution Originaire d'Europe, d'Afrique du Nord et d'Asie de l'Ouest, introduite dans la plupart des autres régions tempérées.

Utilisations La racine est surtout connue comme additif ou substitut du café. Les feuilles très jeunes, blanchies, sont très appréciées en salade. Des extraits de la racine étaient autrefois utilisés comme diurétiques et laxatifs.

Salsifis cultivé

Tragopogon porrifolius

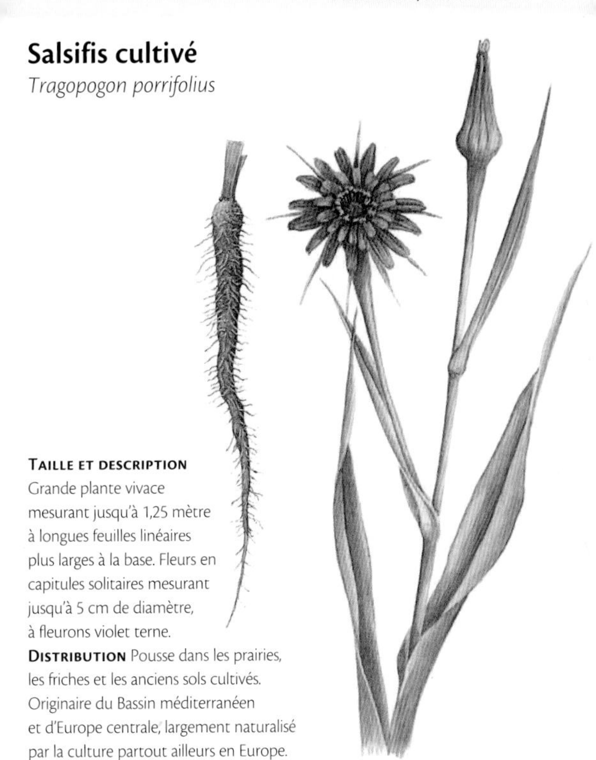

TAILLE ET DESCRIPTION
Grande plante vivace mesurant jusqu'à 1,25 mètre à longues feuilles linéaires plus larges à la base. Fleurs en capitules solitaires mesurant jusqu'à 5 cm de diamètre, à fleurons violet terne.

DISTRIBUTION Pousse dans les prairies, les friches et les anciens sols cultivés. Originaire du Bassin méditerranéen et d'Europe centrale, largement naturalisé par la culture partout ailleurs en Europe.

UTILISATIONS La racine séchée et moulue était autrefois utilisée comme substitut de la farine. Les fleurs font de jolies décorations dans les salades. Les racines pelées peuvent être bouillies ou cuites à la vapeur, puis dégustées telles quelles. Lorsque les feuilles mesurent de 10 à 15 cm de long, elles peuvent être cuites à la vapeur comme des asperges.

Amarante réfléchie

Amaranthus retroflexus

Taille et description Plante annuelle à port dressé, presque non ramifiée, mesurant jusqu'à 1 mètre de haut. Feuilles alternes, ovales et pointues. Petites fleurs en grappes denses sur des épis courts.

Distribution Espèce d'Amérique du Nord commune dans le sud et le centre de l'Europe, mais plus rare ailleurs.

Utilisations Les feuilles jeunes possèdent une saveur douce agréable et peuvent être consommées crues en salade ou cuites comme des épinards. Moulues en farine, les graines s'utilisent dans les soupes et pour augmenter la teneur en protéines de la farine de blé dans les pains. La plante a des propriétés astringentes apaisantes, on l'emploie pour contrôler les saignements et les diarrhées.

Aloe vera

Aloe vera

Taille et description Plante vivace dépourvue de tige, à stolons rampants, formant des grappes de rosettes feuillues. Feuilles mesurant jusqu'à 60 cm de long, bleu-vert, épineuses, parfois teintées de rouge. Fleurs jaunes mesurant 30 mm de long, retombantes et cylindriques, en épis de 50 cm de haut, apparaissant seulement dans les climats chauds.

Distribution Originaire des régions arides d'Afrique et aujourd'hui cultivé dans la plupart des régions subtropicales et tropicales. Fréquemment cultivé comme plante d'intérieur dans les climats tempérés.

Utilisations Utilisé comme plante médicinale au Moyen-Orient depuis des temps immémoriaux. Souvent employé dans les lotions solaires, les crèmes pour les mains, les shampoings et les produits cosmétiques. Les feuilles donnent un gel médicinal apaisant qui stimule la régénération cutanée en cas de coupures et de brûlures. La sève qui s'écoule des feuilles coupées est un puissant émétique et ne doit pas être utilisée en interne sous forme fraîche.

Ail rocambole

Allium scorodoprasum

Taille et description Plante vivace bulbeuse, mesurant jusqu'à 1 mètre de haut, à tiges cylindriques et à 2 à 4 feuilles longues, plates et formant une longue gaine. Fleurs en clochettes, roses ou blanches, en grappes terminales de 5 ou 20 fleurs, à l'intérieur de 2 gaines membraneuses.
Distribution Distribué sur les talus, les pâturages grossiers et le bord des éboulis en Europe centrale et de l'Est.
Utilisations Les bulbes s'utilisent comme des gousses d'ail mais possèdent une saveur plus douce.

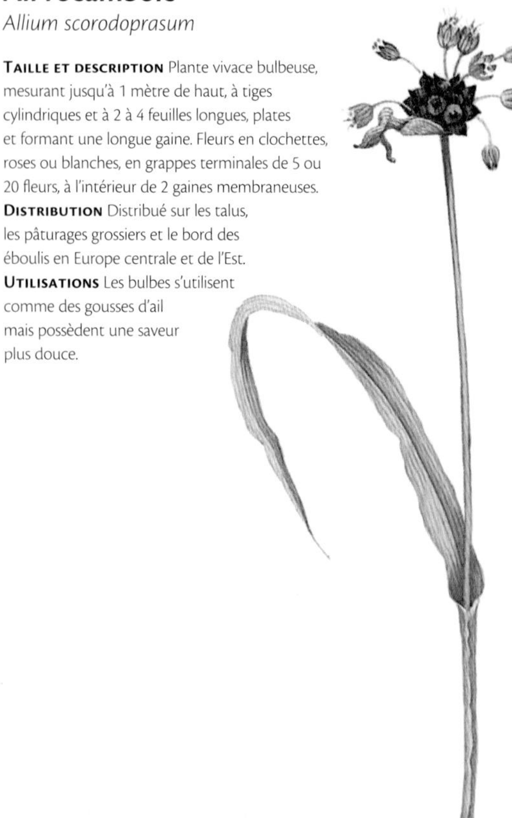

Ciboulette

Allium schoenoprasum

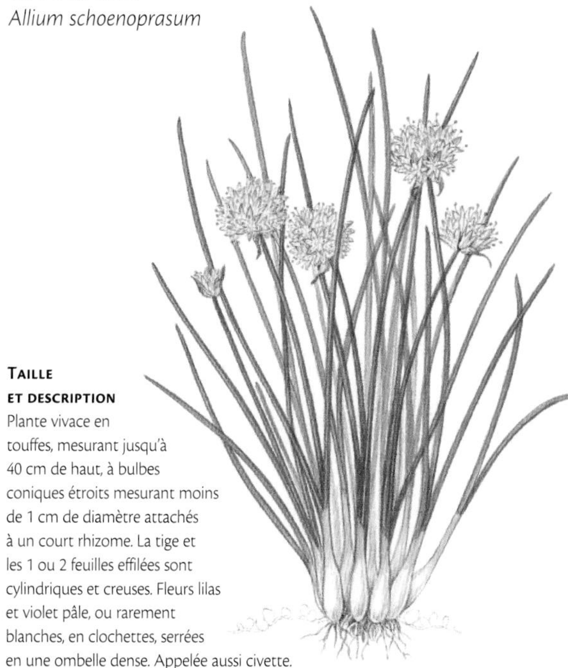

Taille et description Plante vivace en touffes, mesurant jusqu'à 40 cm de haut, à bulbes coniques étroits mesurant moins de 1 cm de diamètre attachés à un court rhizome. La tige et les 1 ou 2 feuilles effilées sont cylindriques et creuses. Fleurs lilas et violet pâle, ou rarement blanches, en clochettes, serrées en une ombelle dense. Appelée aussi civette.

Distribution Pousse dans la majeure partie de l'hémisphère Nord et cultivée à grande échelle.

Utilisations Saveur plus douce et plus délicate que celle des autres alliacées, très utile dans les plats à base d'œufs, les salades, les potages et avec les fromages à pâte molle. Les feuilles finement ciselées s'utilisent plus que les bulbes. Il est préférable de les ajouter en fin de cuisson afin qu'elles conservent leur saveur.

Ail des vignes

Allium vineale

Taille et description Plante vivace mesurant jusqu'à 60 cm de haut. Feuilles en tubes élancés et creux, de couleur gris-vert. Fleurs longuement pédonculées, en grappes protégées par des gaines membraneuses.
Distribution Elle est originaire d'Europe, du nord de l'Afrique et de l'ouest de l'Asie, pousse dans les prairies sèches ou sur le bord des routes.
Utilisations Toutes les parties de la plante dégagent une forte odeur d'ail. Parfois utilisé comme substitut de l'ail. Les feuilles fraîches peuvent être ciselées dans les salades et les vinaigrettes et se marient très bien avec les fruits de mer et l'agneau. Les fleurs peuvent être trempées dans une pâte à beignets et frites, ou ajoutées dans les salades. Les bulbes s'utilisent de la même manière que ceux de l'ail cultivé.

Muguet

Convallaria majalis

Taille et description Plante vivace mesurant jusqu'à 25 cm de haut. Feuilles ovales, sortant d'un rhizome traçant, leurs bases gainantes formant la tige. Fleurs en clochettes blanches ou roses, parfumées et portées sur une hampe dressée. Appelé aussi muguet de mai, lis des vallées.

Distribution Originaire des régions tempérées fraîches de l'hémisphère Nord en Europe et en Asie du Nord-Est, plante de jardin commune.

Utilisations Les feuilles contiennent des glycosides cardiaques similaires à ceux de la digitale pourpre et ont un effet semblable sur la régulation et le renforcement du pouls. Une huile essentielle extraite des fleurs est utilisée en parfumerie et dans d'autres produits parfumés tels que les savons et les lotions pour les mains. Toutes les parties de la plante sont toxiques et ne doivent être utilisées que sous surveillance médicale.

Safran

Crocus sativus

Taille et description Plante à floraison automnale à feuilles rappelant des brins d'herbe qui apparaissent avant les fleurs. Fleurs en forme de coupe, violet pourpre avec une gorge jaunâtre ; stigmate proéminent trifurqué orange. Appelé aussi crocus cultivé.

Distribution N'existe pas à l'état sauvage. Peut-être originaire de l'est du Bassin méditerranéen, développé il y a très longtemps par sélection de *C. cartwrightianus.*

Utilisations Colorant culinaire célèbre qui confère un arôme doux et une couleur jaune orangé aux plats de riz, aux soupes et aux gâteaux. Seuls les grands stigmates sont utilisés et il faut au moins 60 000 fleurs pour obtenir 500 grammes de safran. Le safran a donc toujours été une épice très chère et on utilise aujourd'hui souvent des substituts de moins bonne qualité tels que le curcuma.

Citronnelle

Cymbopogon citratus

Taille et description Plante vivace aromatique en touffes denses à tiges florales mesurant jusqu'à 2 mètres de haut. Feuilles mesurant jusqu'à 60 cm de long, effilées aux deux extrémités. Fleurs en grande panicule en plumeau, à l'extrémité retombante. Appelée aussi verveine des Indes.

Distribution Originaire du sud de l'Inde et du Sri Lanka, cultivée à grande échelle dans les tropiques et occasionnellement dans d'autres régions.

Utilisations Les feuilles odoriférantes sont très appréciées en cuisine pour la saveur citronnée qu'elles confèrent aux plats. Une tisane préparée avec les feuilles fraîches faciliterait la digestion et remonterait le moral. L'odeur est due à la présence de citral et l'on utilise une huile de citronnelle en parfumerie et dans la synthèse artificielle de la vitamine A. Également utilisée pour éloigner les insectes.

Chiendent commun

Elytrigia repens

Taille et description
Plante vivace vert terne à bleutée, à longs rhizomes traçants, coriaces. Épis floraux mesurant jusqu'à 2 mètres de long, fins, non ramifiés et composés de paires d'épillets disposés en alternance. Les fruits sont de petits akènes indéhiscents. Appelé aussi chiendent officinal, petit chiendent.

Distribution
Répandu et commun dans les prairies maritimes dans de nombreuses régions de l'hémisphère Nord, est devenu invasif dans certaines zones.

Utilisations Utilisé en phytothérapie depuis la Grèce antique. Les rhizomes pâles se préparent en tisane ou en décoction. Diurétique riche en minéraux et vitamines A et B, le chiendent possède des propriétés antibiotiques et est préconisé pour les calculs rénaux et d'autres problèmes de l'appareil urinaire.

Acore odorant

Acorus calamus

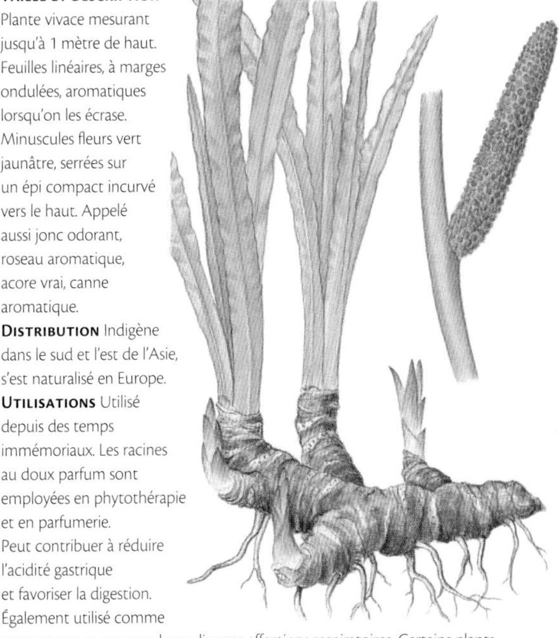

Taille et description
Plante vivace mesurant jusqu'à 1 mètre de haut. Feuilles linéaires, à marges ondulées, aromatiques lorsqu'on les écrase. Minuscules fleurs vert jaunâtre, serrées sur un épi compact incurvé vers le haut. Appelé aussi jonc odorant, roseau aromatique, acore vrai, canne aromatique.

Distribution Indigène dans le sud et l'est de l'Asie, s'est naturalisé en Europe.

Utilisations Utilisé depuis des temps immémoriaux. Les racines au doux parfum sont employées en phytothérapie et en parfumerie. Peut contribuer à réduire l'acidité gastrique et favoriser la digestion. Également utilisé comme expectorant et pour soulager diverses affections respiratoires. Certains plants contiennent un agent carcinogène, absent d'autres souches. Cette plante ne doit pas être utilisée sans avoir consulté un médecin qualifié au préalable.

Gingembre

Zingiber officinale

Taille et description Plante vivace mesurant jusqu'à 1 mètre de haut, à rhizomes courts, charnus, tubéreux et ramifiés. Tiges érigées à 2 rangées de feuilles, les pétioles des feuilles gainantes formant la tige elle-même. Fleurs jaunes ou blanches à lèvre inférieure violette, formant des épis coniques denses. Appelé aussi gingembre commun, gingembre officinal.

Distribution Originaire des régions tropicales d'Asie du Sud-Est et cultivé en Afrique et dans les Caraïbes.

Utilisations Le rhizome de gingembre frais ou séché, pelé ou non, est un condiment incontournable des cuisines asiatique, africaine et antillaise. La tige cristallisée ou confite est utilisée en pâtisserie, dans les confitures et les confiseries. Le gingembre séché sert dans de nombreuses recettes de gâteaux, de pâtisseries, de biscuits, et dans divers mélanges d'épices vendus dans le commerce. Fait un remède chauffant et légèrement stimulant en cas de digestion difficile, de problèmes de circulation et de bronchite.

Curcuma

Curcuma domestica

Taille et description Plante vivace mesurant jusqu'à 1 mètre de haut, similaire à son proche parent le gingembre (ci-contre), mais les feuilles sont toutes basales et leur pétiole gainant forme rarement une tige. Rhizomes mesurant environ 2,5 cm de diamètre, jaunâtres à l'extérieur et orange foncé à l'intérieur.

Distribution Probablement originaire d'Inde et cultivé en Inde et dans d'autres régions tropicales.

Utilisations Le rhizome bouilli, séché et réduit en poudre possède une odeur âcre caractéristique. Largement employé comme condiment et comme colorant, il donne une teinte jaune vif à divers plats et sert souvent de substitut bon marché au safran. Ingrédient essentiel de la cuisine indienne. Utilisé dans les poudres de curry et la chermoula, un mélange d'épices marocain. Parfois employé comme antiseptique en cas de coupures et de brûlures superficielles.

Cardamome

Elettaria cardamomum

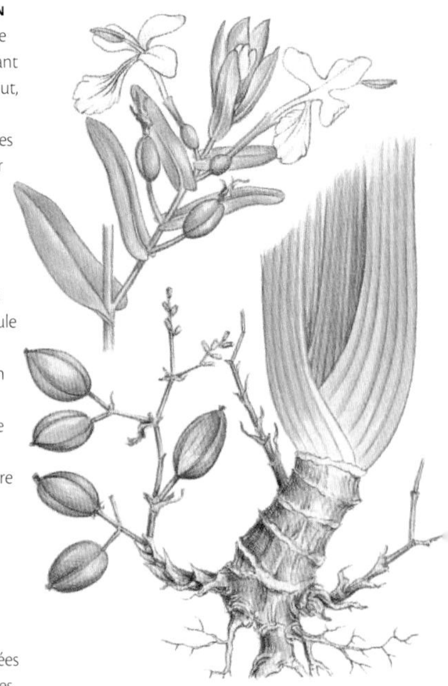

Taille et description
Plante vivace apparentée au gingembre et mesurant jusqu'à 3,5 mètres de haut, à rhizomes épais et charnus et très longues tiges stériles formées par les pétioles des feuilles gainantes. Hampes florales étalées et dépourvues de feuilles. Fleurs blanches à taches bleues et jaunes, une seule étamine protubérante. Capsules mesurant 2 cm de long, ovoïdes et gris-vert, contenant chacune 3 ou 4 graines brunes.
Distribution Originaire des collines du sud de l'Inde et cultivée au Sri Lanka et dans certaines régions d'Amérique centrale.
Utilisations
Les capsules sont récoltées avant maturité et séchées entières. Les graines séchées puis moulues sont utilisées pour parfumer des plats salés et sucrés, en particulier dans les cuisines indienne et d'Asie du Sud-Est, ainsi que pour épicer des vins. Les graines possèdent des propriétés analgésiques, antispasmodiques et anti-inflammatoires, elles sont bénéfiques en cas de troubles gastriques et de rétention d'eau.

Vanillier

Vanilla planifolia

Taille et description Orchidée grimpante à feuilles persistantes mesurant jusqu'à 30 mètres de haut, à feuilles charnues. Fleurs mesurant jusqu'à 70 mm de long, jaune verdâtre, à lèvre inférieure enroulée, rayées d'orange. Gousses mesurant jusqu'à 20 cm de long, parfumées quand elles sont mûres. Elles contiennent de nombreuses graines minuscules.

Distribution Originaire d'Amérique centrale et cultivé dans toutes les régions tropicales, en particulier à Madagascar.

Utilisations D'abord utilisé par les Aztèques pour parfumer leurs boissons chocolatées, introduit en Europe par les Espagnols. Sa saveur unique est due aux cristaux de vanilline présents à la surface des gousses. Les gousses sont utilisées comme condiment, en particulier dans les gâteaux, les pâtisseries et les desserts, bien que l'on trouve aujourd'hui des essences synthétiques. Utilisé dans des boissons sucrées et des liqueurs industrielles ainsi qu'en parfumerie et dans des produits parfumés pour la maison comme les bougies.

Sagittaire à feuilles en flèche

Sagittaria sagittifolia

Taille et description Plante aquatique vivace, à tige dressée, glabre, mesurant jusqu'à 90 cm de haut, à grands tubercules. Feuilles émergées sagittées, pourvues d'un long pétiole dressé, feuilles flottantes pointues et ovales dépourvues du lobe basal des feuilles aériennes. Fleurs mesurant environ 2,5 cm de large, à 3 pétales blancs, chacun avec une tache violette à la base. Appelée aussi flèche d'eau.

Distribution Commune en Europe, à l'exception de l'extrême nord et du sud.

Utilisations Les tubercules féculents peuvent être bouillis ; leur peau possède un goût de pomme de terre légèrement amer et doit être enlevée après cuisson. Les tubercules séchés peuvent être moulus en une farine à mélanger à de la farine de céréales pour faire des pâtisseries. Ne pas consommer les tubercules crus.

Massette à larges feuilles

Typha latifolia

Taille et description Plante vivace robuste mesurant jusqu'à 2 mètres de haut, à long rhizome ramifié. Tiges dressées et vigoureuses, à longues feuilles linéaires, sortant d'une gaine basale. Nombreuses fleurs minuscules, serrées en une grappe dense et allongée. Petits fruits secs, cylindriques, sur une tige. Appelée aussi canne de jonc, quenouille.

Distribution Commune au bord des étendues d'eau dans la majeure partie de l'Europe, rare dans l'extrême nord.

Utilisations Le rhizome, récolté de préférence en hiver, peut être consommé cru ou cuit comme des pommes de terre, émincé et bouilli pour faire un sirop, ou séché et moulu pour épaissir les sauces et les soupes. Les jeunes pousses végétatives peuvent être cuites à la vapeur comme des asperges ou sautées à la poêle, les pousses florales immatures peuvent être bouillies ou grillées avec du beurre. Aurait des propriétés astringentes et anticoagulantes. On l'utilise pour panser les brûlures et les coupures superficielles.

Index

Noms scientifiques